Josef Hasenfuss

DER ANGEFOCHTENE CHRIST

Der angefochtene Christ

angesichts der Warheitsansprüche und Heilsangebote nichtchristlicher Religionen und Weltanschauungen

von Josef Hasenfuss

PAUL PATTLOCH VERLAG, ASCHAFFENBURG

Der Verfassung wurde am 28. Juni 1901 in Karbach bei Marktheidenfeld/M. geboren. Studium der Philosophie, Theologie, Soziologie u. a. in Würzburg und München. Dr. theol. in Würzburg, Dr. phil. in München, Habilitation für Theologie an der Universität Würzburg. 1936 Dozent in Würzburg; 1936 Vertretung der Professur der Dogmatik und Fundamentaltheologie an der Hochschule Freising; 1945 a. o. Professor für diese Fächer dort; 1948 o. Professor der Fundamentaltheologie und vergleichenden Religionswissenschaft an der Universität Würzburg. Vortragsreisen im In- und Ausland. Studienreisen durch Europa, Amerika und den Orient.

Neben mehreren Broschüren und zahlreichen Beiträgen in Sammelwerken und in- und ausländischen Zeitschriften veröffentlichte er die Bücher: «Die Grundlagen der Religion bei Kant» (Würzburg 1927). «Die Religionsphilosophie bei Jakob Friedrich Fries» (Würzburg 1933). «Die moderne Religionssoziologie und ihre Bedeutung für die religiöse Problematik» (Paderborn 1937). «Christliche Existenz heute» (Würzburg 1947). «Bayerische Julius-Maximilians-Universität Würzburg» in deutscher und englischer Sprache (Basel, Rio de Janeiro 1953, zweite erweiterte Auflage 1961). «Der Soziologismus in der modernen Religionswissenschaft» (Würzburg-Paderborn 1955). «Weltreligionen als sozial-kulturelle Gestaltungsmächte (Würzburg 1955). «Herman Schell als existentieller Denker und Theologe» (Würzburg 1956). «Herman Schell — Kirche und Gottesreich» (Freiburg/Br. 1957). «Gottes Reich auf Erden» (München-Paderborn-Wien 1960). «Was ist Religion?» (Aschaffenburg 1962). «Glauben, aber warum?» (Aschaffenburg 1963). «Gemeinschaftsmächte und Religion (Religionssoziologie 1. Band)» (Aschaffenburg 1964). «Strukturelemente der Weltreligionen (Religionssoziologie 2. Band)» (Aschaffenburg 1964). «Ersatzreligionen heute» (Aschaffenburg 1965). «Kirche und Religionen» (München-Paderborn-Wien 1969, ²1970).

Imprimatur:
Würzburg, den 7. August 1970
Wittig
Generalvikar

Umschlagentwurf: Klaus Imhof
Gesamtherstellung: Walter Pieper, Würzburg

I. Einführung

Der Christ in der pluralen Gesellschaft heute

Die Welt, in der wir leben, ist heute eine Welt der pluralen Gesellschaft mit den verschiedensten Gruppen von Gläubigen und Ungläubigen religiöser und weltanschaulicher Bekenntnisse. Der Mensch und Christ heute sieht sich nicht nur mit den verschiedensten Gruppen der ursprünglich christlichen Kulturwelt konfrontiert, sondern auch mit solchen anderer Religionen und Weltanschauungen auf anderen Kontinenten der Erde. Diese erscheinen infolge der Entwicklung der modernen Verkehrsmöglichkeiten, des Nachrichtenwesens und der weltumspannenden Riesenorganisationen einander unvergleichlich näher gerückt, als es früher die Völker der einzelnen Kontinente waren. Als die christlichen Völker noch die Vorherrschaft innehatten, wenigstens im Abendland, konnte man es bei uns für entbehrlich halten, den über zwei Drittel der fast drei Milliarden Erdenbewohner zu Anhängern zählenden nichtchristlichen Religionen und Weltanschauungen Beachtung zu schenken. Jetzt, da diese Völker und die ihre sozialpolitische und geistig-kulturelle Existenz bestimmenden Religionen und Weltanschauungen so nah aneinandergerückt sind und die Existenz der einen von der der anderen mitberührt und mitbestimmt wird, ja die Menschen der verschiedensten Religionen und Kulturen miteinander in geistigen Austausch treten, ist die Lage eine ganz andere geworden.

So sieht nun der Christ in der pluralen Gesellschaft heute in der Begegnung mit nichtchristlichen Religionen und Weltanschauungen, daß diese die alte Menschheitsfrage nach Grund und Sinn des Daseins und die Heilsanliegen der Menschheit aufgreifen und Antworten darauf und Mittel und Wege zum Heil anbieten, die größte Ähnlichkeit mit denen des Christentums haben, ja dieses zu überbieten scheinen. Diese religiösen wie auch die weltanschaulichen Systeme, etwa des westlichen Liberalismus oder des östlichen Kollektivismus, wenden sich zunehmend missionarischen bzw. propagandistischen Aufgaben zu und treten mit dem Anspruch auf, dem Christentum mit ihren andersartigen Ideen und Werten weit überlegen zu sein. Das stellt eine Herausforderung an das Christentum dar, das so kaum mehr seinen früheren Absolutheitsanspruch aufrecht erhalten zu können scheint, und bringt für den Christen eine früher nie gekannte Anfechtung seines Glaubens. Fassen wir nun die dort dargebotenen Antworten auf die Frage nach Sinn und Grund des Daseins und die Wege und Möglichkeiten zur Heilsgewinnung näher ins Auge. Konfrontieren wir schließlich ihre Wahrheitsansprüche und Heilsangebote mit denen des Christentums, um dem Menschen und Christen heute in den verwirrenden geistigen Auseinandersetzungen der Zeit zur wahren Existenzerhellung und Existenzbegründung zu verhelfen.

Abgrenzung der Religionen und Weltanschauungen voneinander

Wir haben zunächst Religionen und Weltanschauungen nach ihrem Wesen einander gegenüberzustellen.

Was ist Religion?

Religion kann man schon dem Wortsinn nach verschieden verstehen: als «Gemeinschaft des Menschen mit Gott» (Laktanz), als «Sammlung und Vertiefung des Seelenlebens in Gott» (nach Cicero und H. Schell), als «Entscheidung des Meneschen für Gott» (Augustin), als «Hinordnung des Menschen zu Gott» (Thomas v. Aquin). Wird in den angeführten Erklärungen, entsprechend der alten und mittelalterlichen metaphysischen und Transzendenzeinstellung mehr das objektive Wesen der Religion als ontischen Bandes des Menschen mit Gott zum Ausdruck gebracht, so wird das anders mit der seit Humanismus und Renaissance beginnenden Neuzeit und ihrer anthropozentrischen, mehr vom menschlichen Subjekt ausgehenden Weltanschauung und Lebensauffassung. So erklären nun Aufklärer, Empiristen und Rationalisten die Religion rein natürlich aus menschlichen rationalen Vorstellungen oder irrationalen Trieben und Kräften. Im deutschen Idealismus wird die Religion vor allem in engste Beziehung zur Rationalität und Moralität oder zum ästhetischen Gefühlswesen gesetzt und so in der entsprechenden Weltanschauung umgedeutet. Nach Kant ist Religion gleichbedeutend mit gutem Lebenswandel, d. i. «Erkenntnis unserer Pflichten als göttliche Gebote»; nach Hegel «Wissen von Gott, das Selbstbewußtsein Gottes im Menschen«; nach Schleiermacher «Gefühl der Koexistenz mit dem Unendlichen» (schlechthinniges Abhängigkeitsgefühl); nach Schelling «Bezogensein auf das Unendliche«. Im Linkshegelianismus und Marxismus und im positivistischen Soziologismus wird die Religion mit dem sozialen Leben des Menschen in engste Beziehung gebracht und so soziologistisch umfunktioniert. Nach L. Feuerbach dient die Religion der egoistischen Wunsch- und Triebbefriedigung im Zusammenleben der Menschen. Nach Aug. Comte und den westlichen Positivisten ist Religion «Kultus der Menschheit als moralischer Gemeinschaft», womit sie vollkommen gleichzusetzen sei; nach dem Liberalismus ist sie mehr Lebenshilfe für den einzelnen oder das soziale Ganze im Kampf ums Dasein. Die weithin sozialistisch oder liberalistisch eingestellte Tiefenpsychologie in Gefolgschaft von S. Freud betrachtet die Religion als «menschliche Zwangsneurose» oder im Anschluß an C. G. Jung als «Heilssystem für seelische Leiden». Mit Entfernung vom abendländischen Religions- und Kulturbereich, wo man trotz der verschiedensten, vom Christentum sich mehr oder minder weit entfernenden Standpunkte immer noch vom biblischen Erbe lebt — selbst im Islam —, nimmt die Verschiedenheit der Religionsauffassungen noch stärker zu. Hier im asiatischen Religions- und Kulturraum versteht man die Religion meist monistisch als Eins-Werden mit dem All oder als Leben im Einklang mit den in der Welt und im Zusammenleben geltenden höchsten Gesetzen —, ein Monismus, der schließlich auch zunehmend Eingang fand in die im abendländischen Raum sich mehr und mehr im Gegensatz zum Christentum entwickelnden säkularisierten Weltanschauungssysteme.

Für die Verschiedenheit dieser so mannigfachen Religionsauffassungen lassen sich vielerlei Gründe angeben. Einerseits ist Religiosität das persönliche Anliegen jedes Menschen, so daß hier die durch die Umwelt und Mitwelt geprägten individuellen Anlagen und Fähigkeiten, aber auch Unzulänglichkeiten und Schwächen eine große

Rolle spielen. Andererseits stellt die Religion eine komplizierte Erscheinung im Menschenleben dar, in der sich nach Raum und Zeit verschiedene naturmythologische, animistische, präanimistische, völkische, politische, nationale, gesetzliche, aber auch universale und geistig-sittliche Züge finden und überschneiden. So können diese Religionsformen die edelsten, schönsten, ja übermenschlichen, weil irdisch nicht mehr erklärbaren, aber auch abstoßende niedere Formen des Menschentums aufweisen. Zusammenfassend läßt sich sagen: So unvollkommen und verzerrt die Vorstellungen vom Göttlichen auf niederen Stufen der Religion sein mögen: Sie enthalten doch immer das höchst denkbare Ideal der Vollkommenheit, das der Menschengeist auf der betreffenden Stufe seiner Entfaltung erreicht: «Id quo maius cogitari nequit», wie St. Augustin und St. Thomas vom Begriff des Göttlichen feststellen. Die Religion bedeutet nach ihrem, wenn auch in der Mannigfaltigkeit der religiösen Erscheinungen oft nur unvollkommen und erst in der christlichen Religion ganz zum Ausdruck kommenden Wesensbegriff: Hingabe des ganzen Menschen an Gott als Inbegriff aller Wirklichkeit, Wahrheit und Vollkommenheit, um dadurch zum Heil oder vollkommenen Leben zu kommen, hinsichtlich der vernünftig-sittlichen Wesensanlage wie hinsichtlich der ganzen Persönlichkeit.

Was ist Weltanschauung?

Demgegenüber haben wir den Begriff Weltanschauung zunächst abzuheben von dem des Weltbildes. Das Weltbild des Menschen kommt zustande, indem er die durch seine Erfahrungen, Beobachtungen, Experimente mit

Hilfe von Instrumenten und Apparaten gesammelten Erkenntnisse und Schlußfolgerungen auf einen Nenner und in Formeln und Gesetzen zum Ausdruck bringt. Dabei geht es um eine exakte Beschreibung aller Phänomene (Dinge) und Ereignisse, wie sie durch die strenge Methodik wissenschaftlichen Forschens erzielt zu werden vermag. Die Zusammenfassung der auf diesem rational-empirischen Wege gewonnenen Erkenntnisse zu einer Ganzheitsaussage über die Natur, den Menschen, den Kosmos nennen wir Weltbild.

Im Unterschied zum Weltbild aber besagt eine Weltanschauung (auch Ideologie) nicht eine rational nachweisbare Welterkenntnis, sondern vielmehr eine Weltdeutung, eine Sinndeutung des Weltganzen, die ihren Grund über die wissenschaftlichen Erkenntnisse und Schlußfolgerungen hinaus in einer weltanschaulichen oder religiösen Überzeugung hat. Es kann sich freilich eine Verknüpfung von Weltbild und Weltanschauung derart ereignen, daß vorläufige Weltbildaussagen absolut gesetzt werden und einen Anspruch auf Allgemeingültigkeit erheben. Damit verdichten sich gleichsam naturwissenschaftliche Erkenntnisse zu Dogmen, die in Konkurrenz zu den Aussagen des Glaubens treten können. So meint man vom Boden des evolutionistischen Weltbildes aus den Glauben an einen Schöpfer um angeblicher biogenetischer Entwicklungszusammenhänge willen leugnen zu müssen.

Damit vollzog sich die folgenreiche Synthese zwischen materialistisch-atheistisch-kommunistischen und völkisch-totalitären Weltanschauungen mit Weltbildaussagen. Zu Unrecht wird hier die Infragestellung des christlichen Glaubens der Wissenschaft selbst und ihrer Weltbildgestaltung zur Last gelegt. Nicht das jeweilige moderne Weltbild befindet sich im Kontrast zum Glauben, sondern stets eine Weltanschauung, die das subjektive Denken des Menschen zum Maßstab und zur Mitte alles Denkmöglichen erhoben hat und dementsprechend die raum-zeitliche Gegenstandswelt zur allein-gültigen Wirklichkeit deklariert. Es kommt darauf an, diesen, das Verhältnis von Glauben und Denken verwirrenden, Irrtum in der heute weithin verbreiteten Weltanschauung des «Immanentismus» (reine Diesseitseinstellung) bzw. Monismus zu durchschauen.

Während also der Begriff Weltbild eine Zusammenschau theoretischer, naturwissenschaftlicher bzw. naturphilosophischer Erkenntnisse und Ergebnisse über die Welt ist, meint der Begriff Weltanschauung, im metaphysischen Sinn darüber hinausgehend, den Inbegriff der Deutungen und Wertungen des Weltganzen, darin besonders des menschlichen Lebens und Zusammenlebens nach Ursprung, Sinn und Ziel. So ist einerseits in der Weltanschauung notwendig eine Lebensanschauung mitgegeben, da ja von dort aus auch eine gewisse Wertung und Zielsetzung für das menschliche Leben und Zusammenleben als Konsequenz folgt. Da weiterhin in der Weltanschauung eine metaphysische Ausrichtung vorliegt, berührt sie sich andererseits mit der Religion in dem Versuch, Antwort zu geben über die letzten Fragen des Daseins: Woher wir kommen, wohin wir gehen, was wir zu tun und zu hoffen haben, wie Kant es formuliert. Jeder Mensch strebt ja nach Aufklärung über Sinn und Ziel des Daseins wie nach Glück und Heil. Das menschliche Verständnis der Welt und seiner selbst ist von jeher eingebettet in mythische und religiöse Vorstellungen, woraus es sich allerdings mit seinem Mündigwerden löst im Streben nach Unabhängigkeit von der religiösen Vorstellungswelt. Wenn auch Weltanschauung meist, besonders in vorwissenschaftlicher Form, aus der Religion hervorgegangen ist und mit jeder Religion gewisse weltanschauliche Einsichten und Einstellungen verbunden sind, so ist doch Weltanschauung von Religion verschieden, insofern sich erstere mehr intellektuell (verstandesmäßig) oder auch voluntativ (willensmäßig) auf den metaphysischen Grund und Sinn des Daseins, also das absolute Sein bezieht, während die Religion zunächst und unmittelbar darüber hinaus die Verbindung mit Gott als Heil erstrebt durch Anbetung, Hingabe, selige Liebesgemeinschaft mit ihm, der ihr freilich auch höchstes Sein und Gut ist. Wenn nun auch die Weltanschauung nach dem absoluten göttlichen Sein und Gut Ausschau hält, so tut sie das von der Welt und dem Menschen her, während in der Offenbarungsreligion sich Gott in seinem Wort dem Menschen unmittelbar erschließt und in seiner Gnade sich ihm als Heil zuneigt, wie Thomas von Aquin (Summa contra gentiles II,4) dargelegt hat.

Seitdem nun aber in der Neuzeit die Einheit der christlichen Religion im Abendland zerbrach und eine Pluralität (Mehrheit) christlicher Religionsgemeinschaften miteinander konkurrierte, bahnte sich auch zunehmend eine Säkularisierung (Verweltlichung) des Denkens in weltanschaulichen Dingen an, das als profanautonomes Bemühen um Klärung des Selbst- und Weltverständnisses nicht nur Unabhängigkeit gegenüber dem religiösen Denken und Leben gewann, sondern sogar weithin eine gegensätzliche Haltung ihm gegenüber annahm, besonders wo Weltanschauung mit dem Anspruch ersatzreligiöser Weltfrömmigkeit auftrat. Das Christentum verlor an Boden in weiten Kreisen nicht nur der Massen, sondern auch der Gebildeten, die sich namentlich unter dem Einfluß östlicher religiös-weltanschaulicher Ideen vom christlichen (Transzendenz und Immanenz, Außer- und Innerweltlichkeit in Gott verbindenden) Theismus abwandten und einer Gott und Welt deistisch-dualistisch, vollkommen voneinander trennenden oder pantheistisch-monistisch, beide völlig miteinander ineinssetzenden Weltanschauung zuwandten. Während man dabei zunächst einerseits die Transzendenz (Jenseitigkeit) des höchsten göttlichen Seins im Deismus dualistisch überbetonen konnte, vertrat man andererseits eine reine Immanenz des Göttlichen in der Welt. Die Verstärkung des weltanschaulichen Bemühens um eine autonom-profane Sinnerfassung der Welt und des Lebens bewirkte, daß die christliche Weltanschauung und Lebensführung mehr und mehr von einer rein diesseitigen säkularisierten Welt und Weltanschauung abgelöst wurde. Ähnliches geschah übrigens auch in der Entwicklung der anderen Religionen, so daß man (Geram u. a.) das Ende aller Hochreligionen heute feststellen zu können glaubt.

Nach W. Humboldt, der den Begriff Weltanschauung über das engere Kantische Verständnis im Sinne von Weltbild hinausführte und so in der wissenschaftlichen Welt einführte, hat Weltanschauung im Unterschied zur rationalen Philosophie mehr in der Tiefe des Geisteslebens ihren Ursprungsort und umfaßt auch sozial weitere Kreise. Nach W. Dilthey entspricht Weltanschauung dem, was der Mensch wahrnehmend und vorstellend in

Gefühl, Wille und Trieb von der Welt erfährt und ausgestaltet als Ausdrucksformen der Selbstauslegung des Menschendaseins in der Welt, die mit ihren letzten Ideen und Lebensgrundsätzen ähnlich organischen Wesen strukturiert seien. Er unterscheidet drei Grundtypen der Weltanschauung: den materialistisch-positivistischen (vom räumlich-zeitlich Gegebenen ausgehenden) Naturalismus, den mehr spiritualistisch-pantheistisch (alles als geistig-göttlich betrachtenden) objektiven Idealismus und den die Unabhängigkeit des Geistes und Willens von der Natur vertretenden Idealismus der Freiheit. Hier in der romantisch-idealistischen Zeit färbt die individualistisch-idealistische Gesamteinstellung auch auf die Auffassung der Weltanschauung ab. Das zeigt sich von Kant an, für den die menschliche, theoretische und praktische Vernunft der Maßstab aller unserer Erkenntnisse und Bewertungen der Welt und des Daseins ist, in zunehmendem Maße. Nach W. Wieland sucht Weltanschauung die subjektiven Entwürfe zu bezeichnen, «in denen das Individuum die Gesamtheit aller Dinge in die Einheit eines Sinnganzen fügt und auf sich selbst und das eigene Lebensverständnis zurückbezieht.» Wenn wir mit K. Jaspers «von Weltanschauung sprechen, so meinen wir die Kräfte oder die Ideen, jedenfalls das Letzte und das Totale, Ganze des Menschen, sowohl subjektiv als Ergebnis, Kraft und Besinnung, wie objektiv als gegenständlich gestaltete Welt» (Psychologie der Weltanschauungen, Berlin 1919 S. 1). Ähnlich erscheint vom psychologischen und philosophischen Standpunkt aus in dieser Richtung die Weltanschauung individualistisch durch personale Faktoren als dynamisch-aktiv (tätig) oder statisch (stehend) bzw. reflexiv-kontemplativ (betrachtend) bestimmt. Im Gegensatz zu diesem Individualismus und Liberalismus geht man später vom soziologistisch-positivistischen Standpunkt aus bei A. Comte, L. Feuerbach und besonders im Marxismus und Kommunismus, wonach Weltanschauung bedingt ist durch den sozial-ökonomischen Unterbau, mit dessen Wandlung sich auch entsprechende weltanschauliche Ideale wandeln müßten, um nicht lebensfremde Ideologie zu bleiben, sondern die Menschen sach- und lebensgemäß zum Ziele der klassenlosen Gesellschaft führen zu können.

Religionen und Weltanschauungen im Verhältnis zueinander nach Ursprung, Entwicklung und Typen

Von den ältesten Zeiten an ist das Verständnis von Welt und Leben der primitiven Menschen durchwegs von mythologischen und religiösen Ideen und Motiven bestimmt. Auch mit der weiteren Entwicklung des Menschen zu einem höheren Weltverständnis sind die Religionen die wesentlich bestimmenden Faktoren im volklich-nationalen Leben und seiner kollektiven Weltanschauung geblieben. Meist hat sich nur spät und nur teilweise eine Loslösung der weltanschaulichen Vorstellungsweise und Lebensführung aus dem beherrschenden Einfluß der Religionen vollzogen, wie wir das typisch im Erwachen des autonomen (selbstgenugsamen) Denkens im hellenistischen (griechisch-römischen) Kulturraum sehen. Selbst die auf Stifter zurückgehenden Weltreligionen, die einer innerlich persönlichen und zugleich universalen, alle Menschen umfassenden religiösen Bezogenheit auf die Gottheit zum Durchbruch verhalfen und das Denken aus der engen Umklammerung durch das Stammes- und Volksleben lösten, haben gleichwohl in noch größerem Umfang und verstärkter Intensität Wesentliches zur Prägung weltanschaulichen Denkens und Lebens beigetragen. Wir müssen also im Folgenden auch die Religionen betrachten unter dem Gesichtspunkt, welche fördernden oder hemmenden Einflüsse von ihnen auf das Welt- und Selbstverständnis der Völker ausgegangen sind und noch ausgehen. Das zeigt sich also nicht nur im positiven, sondern auch im negativen Sinne. Wie mancher religiöse Glaube und die entsprechende Weltfrömmigkeit hinter den Normen des Religiösen mit einem unzulänglichen Begriff des höchsten Seins und Gutes zurückbleiben, üben sie auch unzulängliche Einflüsse auf die Ausbildung einer entsprechenden Weltanschauung aus. Aus diesem Grunde ist sowohl eine einseitig vom menschlichen Einzelindividuum und seiner Freiheit ausgehende religiöse oder weltanschauliche Auffassung wie auch eine die Gemeinschaft, ja das Kollektiv überbetonende Weltfrömmigkeit und Weltanschauung unzulänglich; kommt doch der Mensch nur durch ihr Gleichgewicht, wie Kant es formuliert, zum Frieden. Es ist darum heute dringend notwendig, uns wieder auf die echten religiösen Wurzeln unseres Welt- und Lebensverständnisses zurückzubesinnen, vor allem auf die weltanschaulichen Grundlagen unserer abendländischen Kultur aus ihren theistischen Urgründen heraus, auch im Vergleich mit anderen asiatischen Kulturkreisen und Religionen. Dabei wird sich uns zeigen, daß dort, wo im Abendland und in Asien neue Weltanschauungen im Sinne eines profan-autonomen Denkens und Lebens sich entwickelten, diese sich von religiösen Einflüssen mehr und mehr unabhängig zu machen und an die Stelle der Religionen zu treten suchen, so daß sie weithin als Ersatzreligionen auftreten können. Gerade die abendländischen Weltanschauungstendenzen sind in Entfernung vom ursprünglichen christlichen Denken und Leben mehr und mehr unter die Einflüsse des asiatischen dualistisch-deistischen oder monistisch-pantheistischen Denkens geraten, wie auch die asiatischen Religionen unter dem Einfluß eines profan-demokratischen westlichen Denkens stehen .

Im Christentum, aber auch in anderen Religionen, machen sich solche fremden Einflüsse um so mehr geltend, als diese Religionen es versäumt haben, von ihrem Glaubensgut und seiner überzeitlichen Geltung die mit der Zeit unzulänglichen weltanschaulichen Ideen, in die sie ursprünglich ihre religiöse Offenbarung hineingesprochen und mit ihrer Theologie ausgestaltet haben, wieder zu distanzieren (abzusetzen) und sich auf ihren religiösen Urgrund zurückzubesinnen. Auch im Christentum ist das, was man unter christlicher Weltanschauung versteht, weithin das Bild der Zeit und Welt, in die das Evangelium hineingesprochen worden ist, das, was zur christlichen Offenbarung in der Auseinandersetzung und Begegnung mit den durch das volklich-nationale Leben und den Zeitgeist bedingten Weltanschauungsbildern hinzukommt. Das aber muß auch mit dem Wandel der Zeiten wieder aufgegeben werden können, weil das, was früher zur Beförderung religiöschristlicher Ideen diente, dann zu deren Hemmnis werden kann oder geworden ist. Umgekehrt ist aber auch zu bemerken, daß dort die Weltanschauung, wo sie nicht zum höchsten tragenden Grund und Ziel des Daseins gedanklich und lebensmäßig vorzudringen vermochte, wesentlich in Gegensatz zur Religion trat mit entsprechend negativen Konsequenzen für das menschliche Leben und Zusammenleben. Das zeigt sich sowohl im westlichen idealistisch-existentialistischen Liberalismus einerseits, wo man einseitig vom Einzelnen und seiner Freiheit ausgeht und auch religiös-weltanschaulich vollkommen darauf eingestellt bleibt, wie auch im östlichen kollektivistischen Soziologismus andererseits, wo man, wie im Marxismus und Kommunismus wesentlich kollektivistisch-monistisch (alles Sein ist gesellschaftlich) denkt und entsprechend auch Religion und Weltanschauung verengt soziologistisch sieht und darum erstere nicht preiszugeben vorgibt.

Die mit den Religionen noch zusammenhängenden Weltanschauungen in ihren verschiedenen Ausformungen gegenüber den Religionen

Einordnung: Diese Weltanschauungen können entweder entwicklungsgeschichtlich nach der Stufenfolge der nacheinander hervortretenden Religionen oder querschnittmäßig nach den heute bestehenden Weltreligionen angeordnet werden. Die Naturreligionen der ersten Menschheitsentwicklungsstufe werden der Ausbildung einer mehr naturalistisch ausgerichteten Weltanschauung günstig sein, indem man das geistig-seelische Leben ähnlich dem Naturgeschehen oder zugleich letzteres analog zum seelisch-geistigen Leben faßt, wie das im Mythologismus (Vergöttlichung von Naturdingen), Animismus und Magismus (Geister- und Zauberglauben) geschieht. Auf der Stufe des volklich national bestimmten religiösen Lebens wird man auch einer entsprechenden Weltanschauung kollektivistischer bzw. nationalistischer Art zuneigen, die religiöses und Gemeinschaftsleben miteinander vermengt und beides soziologistisch durch Werte des Zusammenlebens bestimmt sein läßt. Auf der Stufe der meist auf Stifter zurückgehenden Weltreligionen mit der Ausbildung eines neuen Ich- und Wirbewußtseins und einer personal vertieften wie universal ausgeweiteten Gottesvorstellung wird auch die Weltanschauung entsprechende Variationen erfahren. Man kann von den Kräften des Subjektes rationaler und irrationaler (verstandes- und gemütsmäßiger) Art aus zu einer rationalistischen oder irrationalistischen und damit meist verbundenen optimistischen oder pessimistischen Weltanschauung kommen oder vom Göttlichen her Gott und Welt monistisch miteinander vereinheitlichen (wie meist in asiatischen Religionen), dabei auch in das andere Extrem beide deistisch-dualistisch voneinander trennender Weltanschauung verfallen oder wie in biblischen Religionen hinsichtlich des Verhältnisses beider sowohl die Transzendenz einerseits wie Immanenz andererseits wahren, bzw. beide miteinander verbinden.

So tun sich in den weltanschaulichen Grundgedanken im Zusammenhang mit heute existierenden höheren Religionen Unterschiede auf, die vom religiösen Ursprung her für sie bestimmend sind. Die eine Weltanschauung ist mehr optimistisch und rationalistisch, die andere mehr irrationalistisch-pessimistisch oder in wieder anderer Form monistisch und dualistisch. Optimistisch und gewöhnlich auch rationalistisch ist eine aus einer Religion entwickelte Weltanschauung, wenn sie der Überzeugung ist, daß die in der natürlichen Welt waltenden Kräfte auf eine vernünftige und gute bzw. vollkommene Urkraft zurückgehen, die alle Dinge in natürlicher Entwicklung der Vollendung zuführt. Irrationalistisch und meist auch pessimistisch ist eine Weltanschauung, die die in der Sinnenwelt waltenden Kräfte nicht als Ausfluß einer vernünftigen oder gütigen höchsten Macht begreifen kann. Monistisch ist eine Weltanschauung, die das Göttliche als Inbegriff aller im Universum waltenden Kräfte auffaßt und so zugleich meist pantheistisch wird. Dualistisch (bzw. deistisch) ist eine Weltanschauung, die sich das Göttliche mit den in der Natur waltenden Kräften in einem gewissen Widerspruch befindlich vorstellt.

Nach G. Mensching gestaltet sich so von der Welt der Religionen aus der Begriff Weltanschauung mehrdeutig. Wenn Schleiermacher die Religion als Anschauung und Gefühl definierte, ist das Objekt dieser Anschauung bei ihm das Universum, also die Welt als Manifestation des Ewigen. So gab es bei den Primitiven Weltanschauung im Sinne unmittelbarer Erfahrung des Göttlichen in der Welt. Diese wird dann von einer höheren Stufe der Weltbeziehung abgelöst, in der die Welt selbständige Bedeutung gewinnt. In diesem Sinne findet sich überall schon im Altertum der Hochreligionen Weltanschauung nicht als eine theokratische (Gottesherrschaft) Welterklärung, sondern als theologische Deutung der Welt als Ganzes nach ihrem Wesen und Sinn mit entsprechender Lebenshaltung in der Welt. So gibt es nach G. Mensching (Die Religionen und die Welt, [2]Bonn 1949, S. 28) in der Religionsgeschichte vier Grundformen möglicher Weltanschauung mit entsprechenden Variationen. Die Welt kann aufgefaßt werden, besonders in der Frühzeit, als eine dynamische Einheit, in der alles an allem teilhat mit einem entsprechenden Optimismus, in der man im animistischen oder präanimistisch-magistischen Sinne wirken will auf höhere Mächte. Ferner kann die Welt, etwa auf höherer Stufe, als Dualität (Zweiheit) polarer Mächte von Stoff und Geist, von Leib und Seele, von Gut und Bös mit entsprechend optimistischen oder pessimistischen Haltungen betrachtet werden. Man kann auch, besonders in den Weltreligionen Asiens, die Welt als Illusion im Sinne des ontologischen (Seins-) Monismus mit pessimistischer Grundhaltung verstehen. Darüber hinaus wird in anderen, mit dem biblischen Religionswesen in Zusammenhang stehenden Weltanschauungen, etwa des Islams und des Judentums, Welt und Dasein in organischer Einheit und Abhängigkeit von einem Göttlichen gesehen, wodurch wieder eine gemäßigte optimistische Weltanschauung bedingt ist. Die mit dem abendländischen, biblischen und christlichen Erbe zusammenhängenden, aber sich davon unabhängig machenden Weltanschauungen liberalistischer Art im Westen einerseits wie auch kollektivistischer Art im östlichen Marxismus und Kommunismus andererseits akzentuieren entweder den Wert des freiheitlichen, einzeltümlichen Lebens oder den Wert des kollektiven Zusammenlebens bzw. der klassenlosen Gesellschaft. So haben wir hier überall Weltanschauungen, die den verschiedenen Bedürfnissen des menschlichen Lebens und Zusammenlebens entgegenkommen und das Heil verheißen.

Antworten und Heilsangebote der Weltanschauungen und Religionen im allgemeinen

Vergegenwärtigen wir uns zunächst kurz nach allgemeinen Grundtypen, welche Antworten dem heutigen Menschen auf die Frage nach Grund und Sinn des Daseins und nach dem Heil von außerchristlichen Weltanschauungen und Religionen angeboten werden. Das erwachende Denken im Abendland und darüber hinaus, das den denkenden Geist als das entscheidende Moment des Kosmos entdeckte, sah auch das Wesentliche des Menschen darin, daß er Träger der denkenden Vernunft und sein Ziel die Wahrheitsfindung sei. Diese Auffassung hat sich auch in der späteren abendländischen Geistesgeschichte weithin Bahn gebrochen. Die Aufklärung deutete den Menschen als pures Verstandeswesen und auch heute wird er im Sinne aufklärerischer Nachwirkungen weithin so verstanden. Nicht minder hat diese Betrachtungsweise innerhalb der Kantischen und idealistischen Philosophie Verbreitung gefunden, die das Wesen des Menschen und sein Ziel in der Welt darin erblickte, mehr oder minder Organ und Funktion des absoluten Denk- und Wahrheitsgeistes zu sein. Rational verstanden erscheint der Mensch in der Welt auch da, wo er pragmatisch als Schöpfer und Verwender von Werkzeugen, als zweckdenkendes und zwecksetzendes Wesen, als Eroberer und Beherrscher der Erde gewürdigt wird. Hier wird der menschlichen Ratio eine wesentlich praktische, dem Gewinn und Nutzen dienende Funktion zuerkannt.

Auf entgegengesetztem Standpunkt sieht man das Dasein von irrationalen Mächten her begriffen, und zwar in mehrfacher Gestalt. Viele sehen im Menschen nur eine besondere Erscheinungsform der geheimnisvoll zeugenden Kräfte der Erde. Die naturalistische Evolutionslehre stellt ihn ans Ende einer langen Entwicklungsskala, die den Aufstieg des Lebens aus niedersten Anfängen bis in die unübersehbare Fülle der lebendigen Arten und Individuen zur Darstellung bringt. Er kann nun als das vollkommenste Wesen über den Tieren gelten, weil ihm mit dem Geiste eine einzigartige Ausrüstung im Dienste der Selbst- und Arterhaltung und -entfaltung gegeben ist. Andere versuchen den Menschen zwar nicht minder irrational zu erklären, tun dies aber von höheren Gesichtspunkten aus. Die Lebensphilosophen sehen in ihm die höchste Inkarnation der kosmischen Lebenskraft, die aber nicht nur die biologischen, sondern auch die geistig-ethisch-religiösen Werte zum Zwecke der Selbstverwirklichung schafft. Dabei erscheint der Mensch im Geiste vieler Romantiker, besonders im Hinblick auf seine Äußerungen in Kunst, Philosophie und Wissenschaft als eine Offenbarung und Verkörperung des absoluten, unbewußten Geistes, der im Menschen um die Gestaltung seiner Wesensfülle ringt. Oder aber man begreift mit Nietzscheanern, O. Spengler, L. Frobenius und vielen andern den Menschen als eine Einheit von Leib, Seele und Geist, wobei der Mensch mit seinem Werk als symbolischer und charakteristischer Ausdruck kosmischen Seelentums gesehen wird.

Als Durchgangsstufe zum Übermenschen und zum Göttlichen würdigen den Menschen andere weltanschauliche Typen. Fr. Nietzsche bestimmt ihn vom Irrationalen her als das Zwischenwesen zwischen Endlichkeit und Unendlichkeit, das aufsteigt zum Übermenschen, der freilich verschieden gesehen wird. Mit Hegel sehen Rechts- wie Linkshegelianer in ihm das Medium, dem absoluten Denkgeist Gestalt und Wirklichkeit zu verleihen. Um die Synthese über die irrationalistische und rationalistische Linie hinaus bemühte sich nach E. Hartmann namentlich M. Scheler mit der besonders gegen Ende seines Lebens ausgebauten Anschauung, daß der blinde absolute Trieb in der Menschheitsgeschichte immer mehr durch den Geist Form und Richtung, dieser wiederum durch den Trieb in steigendem Maße Realisierung finde, so daß die Menschheitsentwicklung den Weg darstelle, auf dem der absolute Gottgeist als Einheit von Trieb und Geist sich verwirkliche. Überall wird hier der Mensch als Wanderer unterwegs zu übermenschlich-göttlichen Gestaden gesehen.

Die Dissonanz der angeführten Weltanschauungstypen untereinander wie ihr Mißverhältnis zu den realen Erfahrungen hat unter der Einwirkung von Denkmotiven vornehmlich Schopenhauers, Kierkegaards und des Historismus im heutigen Existentialismus M. Heideggers und K. Jaspers zur Deutung des Daseins des Menschen in der Welt von seiner einsamen Existenz her geführt. Diese ist nicht irgendwie als fertige Sache oder als abgeschlossenes, erforschbares Sein gegeben, sondern vollzieht sich andauernd rational-irrational im Denken und einem diesem entsprechenden Tun, d. h. durch die Entscheidungen, die der Mensch jeweils in den Situationen, aus denen sich sein Leben zusammensetzt, einsam frei zu treffen hat. Im Gegensatz zu diesem von der Freiheit des Einzeldaseins ausgehenden (liberalistischen) Existentialismus vertritt man im marxistischen Soziologismus mehr die Notwendigkeit des sozialen Zusammenlebens, in dem der Mensch zur Selbstwerdung kommen könne und so seine Existenz zu verwirklichen habe, die in wahrer Mitmenschlichkeit bestehe.

So lassen die verschiedenen Weltanschauungen die Stellung des menschlichen Daseins in der Welt sichtbar werden: sein rationales wie irrationales, sein geistiges wie naturhaftes, sein empirisches wie geschichtstheologisches, sein einzeltümliches wie soziologisches Verständnis, womit zugleich die Aufgaben und Ziele seiner Lebensgestaltung unter jeweiligen Gesichtspunkten aufgezeigt werden.

Tiefer greifen die *Antworten der Religionen,* die mit ihren den Menschen an die Transzendenz verweisenden Auffassungen die Immanenzeinstellung auf die Welt nicht übersehen. Sie wissen um Spannungen und Konflikte, Grenzen und Aufbrüche, Wirklichkeiten und Möglichkeiten im Menschen, die so die Weltanschauungen nicht sehen, bzw. nicht beachten oder doch anders zu deuten suchen. Indes kann es sich auch hier wie dort nur um eine entsprechend begrenzte Aufzeigung der wesentlichen und typischen Antworten und Heilsangebote handeln.

Die Religionen sehen im Dasein in der Welt mehr, als das äußere Sein und Wirken in der Welt verrät. Sie betrachten den Menschen in der Welt irgendwie verschiedenen Lebensebenen zugehörig: einer göttlichen und einer ungöttlichen, bzw. widergöttlichen, die mit verschiedenen Namen und Ausdeutungen belegt und auch in verschiedenartige Beziehungen gesetzt werden. Ohne alle Einzelheiten zu berücksichtigen, lassen sich verschiedene Grundformen unterscheiden. In mehr monistischer Tendenz betrachten ostasiatische, besonders auch indische Religionsformen die kosmische, räumlich-zeitliche Gestalt der Welt und des Menschen mit der Vielheit ihrer Zusammensetzungen und Teile, ausgehend vom Göttlichen, mit diesem in metaphysischer Einheit oder auch dualistisch das Göttliche und Irdisch-

Menschliche im Gegensatz zu einander sehen. Um zum göttlichen Urgrund und zur Sinnerfüllung des Lebens zu gelangen, muß der Mensch darum mehr und mehr sich von der menschlichen Unvollkommenheit lösen, um so in ständiger Annäherung an das Göttliche sein Heilsziel zu erreichen. Theistische biblische Religionen wie Judentum und Islam betrachten — freilich im einzelnen verschieden — Gott und Welt als Einheit, ohne ihre Verschiedenheit und Gegensätzlichkeit zu übersehen mit entsprechenden Aufgaben der Erfüllung des göttlichen Willens. So bieten sich dem Christen heute mannigfache Antworten und Heilswege nichtchristlicher Religionen und Weltanschauungen an, die beanspruchen, dem Christentum überlegen zu sein, und so für den Christen von heute eine Anfechtung in seiner Glaubensüberzeugung darstellen können.

II. Kapitel

Die Antworten und Heilsangebote nichtchristlicher Religionen

Vergegenwärtigen wir uns näherhin die Antworten und Heilsangebote der nichtchristlichen Religionen! In allen Völkern hat (nach St. Augustin) Gott neben großen Denkern auch gotterleuchtete Fromme erweckt, die ihren Mitmenschen den Weg zur Mitmenschlichkeit unter dem gemeinsamen Himmel wiesen. Ungefähr zur gleichen Zeit, um die Mitte des 1. Jahrtausends vor Christus etwa — die darum K. Jaspers mit anderen an die Stelle der christlichen als Achsenzeit der Weltgeschichte ansetzen will — traten bei den verschiedensten Völkern vom fernsten Osten bis zum Westen Männer auf, die das göttliche Geheimnis ihren Mitmenschen enthüllten und zugleich das Ideal der Mitmenschlichkeit aufzeigten in den Weltreligionen, die sie stifteten. So hat sich das religiöse Leben der Menschheit mit einer gewissen Selbständigkeit in verschiedenen großen Religionssystemen mit einer relativ abgeschlossenen Völker- und Kulturwelt vollzogen. Es sind dies die indische Religionswelt, die sich in Hinduismus und Buddhismus zu Weltreligionen entwickelte, wobei sich der Buddhismus bei seiner Wanderung nach Osten mit der universistischen, taoistischen und konfuzianischen Religionswelt in China und dem japanischen Shintoismus vermischte. Im abendländischen Kulturraum begegnen uns neben dem Christentum der Islam und im gewissen Sinne auch das nachbiblische Judentum als Weltreligionen. Alle großen Religionen haben ihren Ursprung in Asien im Zusammenhang mit Indern, Chinesen und Juden: so bei ersteren der Buddhismus, Konfuzianismus und Taoismus, bei den letzteren das Christentum und der Islam. Nach der Statistik des Fischer-Weltalmanachs 1970, S. 389 f. ergeben sich folgende ungefähren Größenordnungen unter den Religionen: Christen 929,46 Millionen; davon Katholiken 493,63 Millionen; Nichtkatholiken 435,83 Millionen. — Juden (insgesamt, nicht nur Anhänger der jüdischen Religion) 13,38 Millionen. — Moslems 478,88 Millionen. — Chinesische Taoisten, Konfuzianer, Buddhisten 50—400 Mill. — Nichtchinesische Buddhisten 168 bis 200 Millionen. — Hindus 416,86 Millionen.

Das ostasiatische universistische chinesisch-japanische Religionswesen

Die volksreligiösen Grundanschauungen von Himmel, Welt und Menschenleben in China, deren Anfänge sich ins Dunkel der chinesischen Vorgeschichte verlieren, werden von den beiden, die Entwicklung dort bis heute bestimmenden großen chinesischen Geistern Laotse und Konfuzius, den Zeitgenossen etwa des Jeremias, Sokrates, Heraklit und Buddha, nach verschiedenen Richtungen hin ausgestaltet.

Laotses Taoismus

Nach einer, freilich unsicheren Überlieferung hat sich Laotse (geboren etwa um 600 v. Chr.), der Ältere von beiden und wohl auch der Tiefere hinsichtlich der Auffassung des altchinesischen Glaubens an ein höchstes Tao, nach anfänglicher Tätigkeit als kaiserlicher Archivar bald in die Einsamkeit zurückgezogen. Dort hat er das kurze, aber inhaltsschwere «Buch vom höchsten Wesen und von der Tugend», das «Tao-te-king» verfaßt. Dies ist seitdem Grundlage der chinesischen religiösen Spekulation und oft empfohlener Ansatzpunkt der Auseinandersetzung zwischen Chinesentum und Christentum, dem man sich nicht nur von asiatischer Seite aus überlegen fühlt. Laotses grundlegender Begriff ist das Tao, das mit der Folgerichtigkeit der spekulativen Unendlichkeitsmystik die Wärme der Gottesmystik verbindet. Wenn wir es richtig verstehen, ist Tao das die Weltordnung tragende Ureine und Weltgesetz, zugleich das väterlich liebende und mütterlich sorgende Prinzip aller Wesen. Der Weg zu ihm besteht in der Einkehr in das eigene Innere, im Gleichförmigwerden mit dem göttlichen Tao. «Des Himmels (= Tao) Weise ist dies: Er streitet nicht und weiß doch zu bezwingen, er redet nicht und weiß doch Antwort zu bekommen, er ruft nicht, und man kommt von selbst, er scheint zu zaudern und sieht doch den Zeitpunkt vor» (J. Grill, Laotses Buch vom höchsten Wesen und vom höchsten Gut, 1910 S. 26).

Laotses Welt- und Lebensanschauung

Indem der Mensch selbstische Ziele verfolgt, anstatt das Beispiel der stillen Weltgesetzlichkeit nachzuahmen, entfernt er sich zu seinem Unglück von der ewigen Ordnung. «Durch dieses Begehren verstrickt er sich ins Vergängliche und wird unglücklich, weil er den natürlichen Fluß spontanen Geschehens in sich hemmt» (E. Wilhelm, Chinesische Kulturgeschichte, 1928 S. 153; dazu ders., Laotses Tao-te-king 1911, in der Sammlung Religion und Philosophie Chinas). Nach dem Vorbild des Tao ist das Handeln des Weisen mehr ein «Nichthandeln» (wu-wei), ein begierdeloses Beschauen des Ewigen. Das mystisch-beschauliche Weltanschauungs- und Lebensideal besteht denn auch für Laotse darin, den Menschen loszulösen von aller Leidenschaft, von Herrschsucht, Gewinnsucht, Wissensdurst und allem Streben nach äußerlichem Tun. Es gilt, ihn wieder hinzuführen zum unverdorbenen Naturzustand, zu dem selbstlosen Wohltun und der heiligen Stille der lautlosen Gesetzlichkeit des Himmels und der Erde, die Grund, Vorbild und Ziel des menschlichen Lebens und Zusammenlebens und seines Glückes und Friedens sind.

Tiefe Demut und allumfassende Güte sind für Laotse die Normen für das Verhältnis des Weisen und seines Friedens zu den Mitmenschen. Feindseligkeit ist mit Güte zu vergelten (Tao-te-king, Kap. 43). Diese Grundsätze der Demut und schrankenloser Güte gelten aber nicht nur für den persönlichen Verkehr von Mensch zu Mensch, sondern müssen auch im Staats- und Völkerleben verwirklicht werden. Der «Weise» ist der vorzüglichste aller Beamten und Herrscher. Das oberste Regierungsprinzip ist das wu-wei, der Verzicht auf alles künstliche «Machen», auf alle schroffen Maßnahmen. Von besonderer Wichtigkeit ist das Ernstmachen mit dem Frieden in den zwischenstaatlichen Beziehungen: «Was einen Staat (im Weltreich) groß macht, ist, daß er gleichsam das unterste Stromgebiet ausmacht..., daß er im Reich die Rolle des Weibes spielt. Das Weib wird stets dadurch, daß es sich ruhig fügt, Meister über den Mann... Wenn darum der Großstaat dem Kleinstaat sich unterordnet, gewinnt er die Kleinstaaten für sich, wie die Kleinstaaten durch Unterordnung den Großstaat für sich gewinnen; die anderen ordnen sich unter, weil sie selbst gewonnen werden». «Des Großstaates höchstes Bestreben geht dahin, die Menschheit in ihrer Gesamtheit zu versorgen; das höchste Bestreben des Kleinstaates ist es, am Dienst der Menschheit sich (überhaupt) zu beteiligen». Der Gedanke der in Frieden verbundenen Völkergemeinschaften blitzt mit wunderbarem Glanze in der Sozialethik dieses chinesischen Weisen auf.

In einer solchen Menschheit hat der Krieg keinen Platz — mit einer Ausnahme: um den Frieden der Gesamtheit zu sichern. «Die schönsten Waffen sind doch unheilvolle Werkzeuge, wohl allerseits verhaßt. Darum gibt sich derjenige, der das Tao innehat, nicht damit ab. Wenn er aber genötigt ist, sie zu gebrauchen, so ist Friede und Ruhe sein höchster Wunsch.» «Wo feindliche Heere aufeinanderstoßen, ist derjenige Sieger, der Mitgefühl hat». «Der Sieger im Kriege gehört dahin, wo nach der Sitte die Trauernden stehen», weil er Menschenleben getötet hat (Kap. 31. 69).

Lao-tse fand mit dieser politischen Ethik zu seinen Lebzeiten wenig Anklang. Er führte bittere Klage über das Unverständnis der Menschen für sein sozial-ethisches Ideal. Doch tröstet er sich damit, daß er eben deshalb nicht verstanden wird, weil «der Ehrfurcht gebietende Vater», Gott, von dem er seine Weisheit empfangen hat, nicht verstanden wird (Kap. 70). Lao-tse blieb nach den Worten eines chinesischen Historikers »ein Weiser, der im Verborgenen lebte« (Sze-ki 63). Gleichwohl übte er durch die Jahrhunderte hindurch einen stillen Einfluß auch auf konfuzianische Staatsmänner aus. Als er im

19. Jahrhundert im Abendland bekannt wurde, wurde die hohe Bedeutung dieses Mystiker-Politikers für die Menschheit deutlich, den man geradezu als den Vater des Menschheits- und Friedensgedankens bezeichnen muß. J. Grill sagt von Lao-tses künftiger Bedeutung: «Es könnte sein, daß, weil er in seiner Zeit nicht verstanden worden ist, seine Zeit erst im Kommen ist; denn er ist nicht ein Mann und Name der Vergangenheit, sondern eine Kraft der Gegenwart und Zukunft. Er ist moderner und lebendiger als viele Lebende» (Grill, a.a.O., X).

In der Gemeinde des Lao-tse traten im 5. Jahrhundert die ersten Pazifisten auf. In einer von Tschuang-tse überlieferten Schrift heißt es: «Sie suchten durch brennende Liebe die Menschen der Welt brüderlich zu vereinen. Die Bekämpfung der Lüste und Begierden war ihr Grundsatz. Wenn sie bekämpft wurden, hielten sie es nicht für Schande, nur darauf bedacht, die Menschen vom Streit zu erlösen. Sie verboten den Angriff und wollten die Niederlegung der Waffen, um die Menschen vom Krieg zu erlösen. Mit diesen Lehren durchzogen sie die ganze Welt. Sie ermahnten die Fürsten und belehrten die Untertanen. Wenn aber auch die Welt ihre Lehre nicht annehmen wollte, so blieben sie um so fester dabei und ließen sie nicht fahren.» (Nach Fr. Heiler, Ökumenische Einheit, 2. Jhrg. Heft 1 S. 1—29; ders. Weltabkehr und Weltrückkehr außerchristlicher Mystiker I: Laotses Tao-te-king und die Bhagavadgita, Eine hl. Kirche, 22. Jhrg. 1940/1 S. 183 ff. — Laudse, Führung und Kraft aus der Ewigkeit, übertragen von E. Rouselle, Inselbücherei, Leipzig 1942.)

Der Taoismus im kommunistischen China

Der Taoismus ist im *kommunistischen China* nicht verschwunden, sondern aktiver denn je, und zwar gerade durch das neue kommunistische Regime. Die in Peking 1957 anläßlich der Schlußsitzung eines von taoistischen Mönchen und Nonnen jeder Provinz besuchten Kongresses gegründete taoistische Vereinigung wählte als erstes Oberhaupt den Abt des Shengant-Klosters, zugleich Mitglied des Zentralkomitees der chinesischen kommunistischen Partei, und bezeichnete als ihre Vereinsziele: die Taoisten auf dem chinesischen Festland zu vereinigen, die Traditionen des alten Taoismus zu pflegen, den sozialistischen Wiederaufbau des Landes zu unterstützen und der politischen Autorität zu helfen, eine Politik der religiösen Freiheit durchzuführen. So ist China eine Heimat des Menschheits- und Friedensgedankens.

Der Konfuzianismus

Solche Ideen werden in anderer Form weitergeführt in China von Konfuzius, der auch in der für die Geistesgeschichte so wichtigen Epoche um 550 v. Chr. lebte und wirkte.

Konfuzius vertritt ein mehr *kulturbejahendes Weltanschauungs- und Lebensideal* und bemüht sich in unruhiger Zeit seinem Volk auf dem Weg in die Zukunft das gute Erbgut der Väter zu bewahren durch Festlegung von überkommenen Sitten, Bräuchen, Gesetzen und Ordnungen; er wurde so der Nachwelt zum Typ des idealen Chinesen, zum erfolgreichsten Lehrer wahren Chinesentums und Menschentums. Jedenfalls ist es sein Verdienst, die alte chinesische Kultur gerettet und eine

Kulturentwicklung begründet zu haben, die, weil fest in der Vergangenheit stehend und zugleich offen für die Zukunft, durch Jahrtausende ihre Eigenständigkeit bewahren konnte.

In Durchführung seiner Aufgabe sammelt und redigiert Konfuzius die «kanonischen» Schriften der altchinesischen Religion und Kultur: Das Schu-king oder Buch der geschichtlichen Urkunden mit Satzungen, Erlassen und Aussprüchen der Vorzeit; das Schi-king oder Buch der Lieder und Opfergesänge; das Yi-king, das Buch der Wandlungen oder der Wahrsagekunst; das Li-ki, das Buch der Riten oder religiös-sozialen Gebräuche; das Tschung-ts'iu (Frühling und Herbst), eine von Konfuzius selbst verfaßte Chronik seines Heimatstaates Lu. Dazu kommen noch die aus der Schule des Konfuzius hervorgegangenen «klassischen» Bücher: Lun-yü, die Gespräche des Konfuzius; Ta-hio, das moralische Lehrsystem des Meisters; Tschung-yung, der Weg der Mitte, eine Zusammenfassung von Konfuzianismus und Taoismus sowie die Aufzeichnungen des Mengtse, dieses anderen Meisters neben Konfuzius. Auch Konfuzius hat die dem chinesischen Denken zugrunde liegende Lehre von Tao und Te ausgebildet, aber mehr nüchternpraktisch und sozial-ethisch. Wie das irdische (chinesische) Reich Abbild des himmlischen Kosmos und der Ordnung des Tao ist, so soll auch das menschliche Leben und Zusammenleben nach dieser Ordnung des Tao geregelt werden. Gemäß dieser universistischen religiösen Weltanschauung, daß der Mensch an der Harmonie des Weltalls Anteil hat, ist auch nach der konfuzianischen Mystik der Mensch gut und wird nur bös aus mangelnder Einsicht. Das beste Mittel zur Besserung ist die Gewinnung der rechten Erkenntnis, namentlich aus dem Studium der Vergangenheit und ihrer Vorbilder. Für das rechte Verhalten der Menschen in der Welt und zueinander grundlegend sind die Pietätsbeziehungen zwischen Vorgesetzten und Untertanen, Mann und Frau, Eltern und Kindern, Freunden und Nachbarn, älteren und jüngeren Geschwistern. «Welches sind die menschlichen Pflichten? Es sind Vaterliebe, Unterwürfigkeit und die anderen Pflichten des Kindes gegen die Eltern, Sanftmut des älteren Bruders gegenüber dem jüngeren, Folgsamkeit des jüngeren Bruders gegenüber dem älteren, Pflichtgefühl des Mannes gegenüber der Ehefrau, Gehorsam seitens der Frau ihrem Mann gegenüber, Wohlwollen der Älteren gegenüber den Jüngeren, Willfährigkeit der Jüngeren gegenüber den Älteren, Menschenliebe des Fürsten, Treue der Untertanen, das sind die zehn Tugenden des Menschen.» Eine große Bedeutung wird dabei der Einhaltung der Riten und Zeremonien zugeschrieben. Die höchste Maxime des Lebens ist die «goldene Regel»: «Was du nicht willst, das man dir tu, das füg auch keinem andern zu!». Über Laotses tieferes Gebot der Feindesliebe, «Böses mit Gutem zu vergelten», befragt, antwortet Konfuzius: «Mit Gerechtigkeit soll man Unrecht vergelten, mit Güte soll man Güte vergelten» (Lun-yü, übersetzt von R. Wilhelm in der Sammlung: Religion und Philosophie Chinas).

Ganz im sozialistischen, ja kommunistischen Sinn wird bereits im Li-ki (R. Wilhelm, Kungtse 1925 S. 162) das Zukunftsideal des Lebens und Zusammenlebens gezeichnet: «Wenn die große Wahrheit siegt, dann wird die Erde allgemeines Eigentum sein. Man wird die Weisesten und Tüchtigsten wählen, um Friede und Eintracht aufrecht zu erhalten. Dann werden die Menschen nicht nur ihre Nächsten lieben, nicht mehr nur für ihre eigenen Kinder sorgen, so daß alle Alten ein friedliches Ende haben, alle Kräftigen eine nützliche Arbeit leisten, alle Jungen in ihrem Wachstum gefördert werden, Witwer und Witwen, Waisen und Einsame, Schwache und Kranke ihre Fürsorge finden, die Männer ihre Stellung und die Frauen ihr Heim haben. Die Güter will man nur nicht verderben lassen, aber man will sie nicht privatim aufstapeln. Die Arbeit will man nur nicht ungetan lassen, aber man will sie nicht um des eigenen Gewinnes willen tun. Darum bedarf es keiner Absperrung und keines Schlosses, denn Räuber und Diebe treten nicht auf. So läßt man die äußeren Tore unverschlossen; das heißt die große Gemeinsamkeit.»

Der Mehismus

Neben Laotse und Konfuzius und über sie hinaus vertritt Motse wesentlich den alten Hochgottglauben Chinas an einen personalen Herrscher oben am Himmel (Tien), der allgemeine werktätige Menschenliebe verlangt und gleich einem gerechten König ohne Rücksicht auf die Person das Gute belohnt und das Böse bestraft. Der vom Konfuzianismus zum Christentum konvertierte Chinese Fr. Huang schreibt über Motse und seine Richtung (Mehismus): Diese Geistesströmung, die einen wesentlichen Bestandteil der religiösen Haltung des frühzeitlichen China bildet, sei zwar von konfuzianischen, taoistischen und buddhistischen Lehren überdeckt worden, breche aber heutzutage mit voller Wucht und Schönheit wieder hervor; sie werde vom aktivistischen chinesischen Kommunismus als Vorläufer angesehen und könne heute Anknüpfungspunkt in der Auseinandersetzung mit dem Christentum sein (Christus an der chinesischen Mauer 1959, S. 121). Auf das japanische Religionswesen brauchen wir hier nicht näher einzugehen, da es wesentlich in Abhängigkeit vom chinesischen blieb.

Die religiös-weltanschauliche Situation in China heute

Auf diese religiöse Situation in China traf der Kommunismus, dessen Ursprung mit dem Frühling 1918 begann, als marxistische Studiengruppen an der Pekinger Universität durch die Initiative von Li Ta-schao ins Leben traten. Unter seinen jungen marxistischen Studenten war Mao Tse-tung der Lenin des chinesischen Kommunismus und der erste Vorsitzende einer provisorischen Sowjetregierung. Über seinen Lehrmeister hinausgehend, schien Mao Tse-tung keine Zugeständnisse an die alten Traditionen zu machen, indem er den Kampf der alten und der neuen Kultur als einen solchen auf Leben und Tod bezeichnete. Jedoch konnte auch er die Vergangenheit in seinem Leben und Werk nicht austilgen. Die Zukunft seines Volkes entwerfend stellt er fest, daß der Kommunismus in China von besonderer Art sei, weil er seine Wurzeln im konfuzianischen Denken habe. So strebt er nun an, eine echte Synthese zu schaffen zwischen der allgemeinen Wahrheit des Marxismus und der konkreten Praxis der chinesischen Revolution, da erst in der eigenen nationalen Form der Marxismus sich für China nützlich erweisen könne. Als nützlichste Werkzeuge der Revolution erscheinen die Anerkennung der Autorität und die aus der konfuzianischen Ethik ableitbare Form des Denkens. Sich anschließende kommunistische Führer äußern sich im gleichen Sinne, indem sie die Verdienste der Grundsätze des Marxismus preisen, aber auch den einzigartigen Charakter ihrer chinesischen Anwendung herausstellen unter Berufung auf Laotse, Konfuzius, Mengtse und andere Denker, deren Ideen in den Kommunismus integriert werden. So erklärt sich die Tatsache, daß diese Art des chinesischen Kommunismus Mao Tse-tungs die chinesischen Massen so begeistern kann, ja darüber hinaus auch sonst, besonders Kreise der Jugend in der Welt ansprechen kann als die ihnen am meisten entsprechende Weltanschauung.

Die indische Religionwelt

Wir können hier mehrere große Entwicklungsschichten unterscheiden, die sich freilich in der konkreten Wirklichkeit mannigfach verschlingen: Vedismus, Brahmanismus, Hinduismus und Buddhismus. Aus den ältesten Sammlungen der Lieder und Gebete entstanden die bis heute allen Formen indischer Religiosität zugrundeliegenden Veden: Rigveda — Wissen um die Opferlieder, Yajurveda — Wissen um die Opfersprüche, Samaveda — Wissen um die Lobgesänge, Atharvaveda — Wissen um die Zaubersprüche (Entstehungszeit der einzelnen zwischen 1500—500 v. Chr.). Die indische Religion in ihren ältesten vedischen Formen, von der gemeinsamen indogermanischen Heimat aus dem 2. Jahrtausend vor Christus mitgebracht, ist ähnlich wie auch in China und sonst fast allenthalben durch die Verehrung des Himmels- und Lichtvaters charakterisiert. Diese ursprünglich weltbejahende Religiosität wandelte sich dann nach der Eroberung Indiens durch die Arier in eine weltverneinende und passive Frömmigkeit im Brahmanismus, wo das Opfer zur zentralen Größe wurde, von dem man selbst die Götter abhängig wußte. Dieser mehr spekulative Brahmanismus entwickelte sich dann im Zusammenhang mit der Volksfrömmigkeit zum Hinduismus, der bis heute noch nicht ganz zur Weltreligion wurde. Das gelang erst im vollen Sinn dem Buddhismus mit seiner Vertreibung aus Indien und seiner Ausbreitung bis nach China, auf den wir nun zunächst eingehen wollen.

Die Weltreligion des Buddhismus
Entwicklung seiner Lehre

Ungefähr zur gleichen Zeit wie die genannten großen östlichen und westlichen Geister wirkte in Indien einer der «größten Tröster der leidenden Menschheit», einer der beredtesten Prediger der Leidenschaftslosigkeit, der Liebe und des Friedens, Gautama Buddha (etwa 560 bis 480 v. Chr.). Schon die Vorläufer seiner Heilslehre, die mystischen Seher der Upanishaden (Fr. Heiler, Die Mystik der Upanishaden, in: Zeitschrift für Buddhismus I, München 1925), die das Geheimnis der Einheit des Seelengrundes (Atman) mit der Allgottheit (Brahma) enthüllten, hatten alle engen völkischen Bindungen und Leidenschaften der arischen Eroberer Indiens abgeworfen, die ihr Echo in den Liedern, Gebeten, Segens- und Zaubersprüchen des ältesten Bibelwerkes Indiens, der Veden (2. Jahrtausend v. Chr.) gefunden hatten (Rigveda, Yajurveda, Samaveda, Atharvaveda). Diese erleuchteten Männer hatten den Keim zu Buddhas universaler Heilsreligion gelegt. Dem Königssohn von Kapilavasthu im indischen Nepal am Abhang des Himalaja ging es nicht um nationale Ziele, sondern um das Heil der erlösungsbedürftigen Menschheit.

Alle Menschen, ja alle Lebewesen, sind dem Gesetz des Karma und Samsara (Kreislauf der Wiedergeburten) und darum dem Leiden unterworfen. Nach sechs Jahre langem, entsagungsvollem Streben zeigte sich Buddha in stiller Meditation die Wurzel des allgemeinen Leidens: der Lebensdurst, die Lebensgier, der egoistische Lebenswille, der unaufhörlich Leiden bringt, Haß und Torheit schafft. Buddha, d. h. der «Erleuchtete», fand den Ausweg aus dem leidvollen Kreislauf der Geburten durch die Abtötung der Lebensgier. Dahin führt der edle achtgliedrige Weg, nämlich: rechtes Glauben, rechtes Wollen, rechtes Reden, rechtes Tun, rechtes Leben, rechtes Streben, rechtes Gedenken, rechtes Sichversenken. Keinem Lebewesen soll ein Schaden zugefügt werden. Das ist das Ahimsa-Gebot der alten indischen Asketen, das die Vorläufer der buddhistischen Bettelmönche, die Jaina, so wörtlich nahmen, daß sie vor sich mit einem Besen den Weg kehrten, um keinem Getier zu schaden. Das ist aber nur die negative Seite des positiven Gebotes Maitri, der unbedingten Friedfertigkeit und Liebe zu allen Wesen. In einem eindrucksvollen Fürbittegebet umfaßt der buddhistische Mönch alle Lebewesen aller Welten: «In allen Ländern mögen alle Leiden der Wesen aufhören ... Mögen alle Wesen, die von Königen, Räubern oder Soldaten bedroht, zum Tode verurteilt, die durch verschiedene Hunderte von Ängsten in Not geraten, mögen diese in Not geratenen Unglücklichen von diesen Hunderten der schlimmsten und schrecklichsten Ängste befreit werden. Alle die, welche geschlagen, in Kerker geworfen, gequält sich in mannigfachen Nöten befinden, von vielen Tausenden von Mühen bedrängt, die von mannigfachen Gefahren und schrecklichem Kummer heimgesucht sind, mögen alle... befreit werden... Möge niemand Leiden oder Schmerz treffen, mögen alle Wesen sich wohlbefinden.» (M. Winternitz, Der Mahayana-Buddhismus nach Sanskrit- und Prakrit-Texten, in: Religionsgeschichtliches Lesebuch 15, hrsg. von A. Bertholet, Tübingen ²1930, S. 46.)

Im alten Buddhismus kennt man eine eindrucksvolle Meditationsübung zur Pflege des allgemeinen Gebots der Liebe: der meditierende Bettelmönch «läßt die Kraft des Wohlwollens, die sein Herz erfüllt, über eine Himmelsgegend sich erstrecken, ebenso über die zweite, die dritte, die vierte, nach oben, nach unten, in die Quere, nach allen Seiten hin, in aller Vollständigkeit, über die ganze Welt hin läßt er die Kraft des Wohlwollens, die seinen Sinn erfüllt, des breiten, unbegrenzten, von Haß und Böswilligkeit freien Wohlwollens sich erstrecken.» (Fr. Heiler, Die Buddh. Versenkung ²1922, 24.) Allen Wesen, bekannten und unbekannten, freundlichen und feindlichen, wünscht er nur Gutes. Dann versenkt er sich im Mitleid in das Leid aller Wesen, dann in der Mitfreude in die Freude aller Wesen, um schließlich im heiligen Gleichmut von allen, denen er im Geist ganz nahe gekommen ist, wieder gleichen Abstand zu nehmen; er bevorzugt kein Wesen, alle sind ihm gleich nahe und gleich fern.

Die Liebe bleibt aber nicht nur ein Gefühl der Seele, sondern wird, insbesondere im Mahayana-Buddhismus (großes Fahrzeug), zur helfenden und opfernden Liebestat, so daß Liebe und Frieden Leben und Gedanken durchdringen: Ein Buddha-Kandidat «soll die anderen Wesen so behandeln, daß er auf sie den Begriff der Mutter, des Vaters, des Sohnes und der Tochter überträgt; ... er soll sich darin üben, ein Beschützer aller Wesen zu sein ... und er soll in der Unterdrückung alles Bösen verharren ..., die Sittengebote beachten, sich in Geduld üben ... und den Sieg der Weisheit erringen». «Ich nehme die Lasten aller Leiden auf mich. ... Die Rettung aller Lebewesen ist mein Gelübde. Ich muß die ganze Masse des Leidens aller Wesen auf mich nehmen. ... Ich muß die Wurzeln des Guten zum Reifen bringen, daß alle Wesen unendliches Glück, ungeahntes Glück, das Glück der Allwissenheit erlangen». Was für eine Handlung mit dem Körper, mit der Rede, mit dem Denken der Buddha-Kandidat verrichtet, das alles geschieht mit Rücksicht auf die (anderen) Wesen und steht unter dem beherrschenden Einfluß des großen Mitleids, das hat das Wohl aller Wesen zur Grundlage und zum Anlaß, das dient zum Glück und Wohl aller Wesen (Winternitz, Mahayana-Buddhismus, a.a.O. S. 31—40).

Ein wesentliches Stück dieser großen Güte ist im Buddhismus wie schon im Brahmanismus die Feindesliebe (H. Haas, das Ideal der Feindesliebe in der außerchristlichen Welt, Leipzig 1923). Das macht folgende Geschichte deutlich: König Leidelang wurde von dem Nachbarkönig Brahmadatta seines Reiches beraubt und vertrieben. Er hält sich mit Gattin und Sohn in Benares verborgen, wird aber verraten. Brahmadatta läßt ihn gefesselt mit der Gattin durch die Straßen der Stadt führen. Kurz vor der Hinrichtung gibt Leidelang seinem Sohne die Mahnung: «Sieh nicht zu nah und sieh nicht zu weit; denn nicht durch Feindschaft kommt Feindschaft zur Ruhe, durch Nichtfeindschaft kommt Feindschaft zur Ruhe.» Dann wird er mit seiner Frau in Stücke zerhauen. Der Sohn nimmt unerkannt Dienst in den Elefantenställen des Königs Brahmadatta und erwirbt die Gunst des Königs. Gelegentlich einer Jagd legt Brahmadatta sein müdes Haupt in den Schoß des Knaben und schläft ein. Als der Jüngling schon das Schwert zieht, um die Eltern zu rächen, erinnert er sich der letzten Worte seines Vaters und steckt das Schwert wieder in die Scheide. Nach dreimaligem Sieg über die wiederkehrende Versuchung erwacht der König, und der Jüngling gibt sich ihm zu erkennen. Da schenkten beide einander das Leben und schworen, sich nichts Böses zu tun. Der König fragte den Knaben: «Was hat dein Vater mit seinen letzten Worten gemeint?» Lebelang erwiderte: «‹Sieh nicht zu nah› bedeutet: entzweie dich nicht voreilig von deinen Freunden. ‹Sieh nicht zu weit› besagt: Laß Feindschaft nicht lange währen. Nicht durch Feindschaft wird Feindschaft überwunden, durch Nichtfeindschaft kommt Feindschaft zur Ruhe» (H. Oldenburg, Buddha, sein Leben, seine Lehre, seine Gemeinde, Stuttgart [7]1920 S. 337 f.).

Diese Gedanken sind jedoch nicht nur die Ideale weltabgeschiedener kontemplativer Mönche geblieben, es gab auch immer Buddhajünger, die diese Grundsätze im politischen Leben zu verwirklichen suchten. König Asoka im 3. Jahrhundert n. Chr. regierte nach allen Grundsätzen des Meisters und wurde so zu einer der edelsten Fürstengestalten der Weltgeschichte. «Alle Menschen sind meine Kinder. Wie ich meinen Kindern wünsche, daß sie allen Heiles im Diesseits und Jenseits teilhaftig werden, so wünsche ich es auch allen Menschen.» Asoka predigte seinen Völkern Liebe und Toleranz. Er tat öffentlich in einem Felsenedikt Buße für seine Feldzüge, indem er tief beklagte, daß Menschen getötet und verschleppt worden waren. Er suchte diese Ungerechtigkeit wieder gutzumachen durch die Wohltaten, die er den Unterworfenen erwies. Er ermahnte seine Söhne und Enkel in diesem Edikt, «daß sie nicht daran denken sollten, Eroberungen zu machen; und wenn doch eine Eroberung nötig sein sollte, daß sie dann an milden und leichten Strafen Gefallen finden möchten und die Eroberung durch die (Friedens-)Religion als die (wahre) Eroberung ansehen sollten.» (Winternitz, Der ältere Buddhismus a.a.O. H. 11 S. 151 f.) Durch nichts ist im Osten der Menschheits- und Friedensgedanke so stark gefördert worden wie durch den Buddhismus. Dieser wurde aus seinem Heimatlande durch den Hinduismus verdrängt, lebte aber in dessen Grundgedanken doch weiter, wenn letzterer auch zu mehr volkstümlicher Religionsform zurückkehrte.

Der Hinduismus
Geschichte und Eigenart

In seiner Fähigkeit, auch unvereinbar scheinende Elemente mit der Zeit in sich aufzunehmen, liegt die Quelle des fortschreitenden Wachstums und der Lebensdauer des Hinduismus. Als seine älteste Schicht kann man eine volkstümliche, zum Polytheismus neigende Vorstellungswelt ansehen, obwohl die Veden davor warnten (Rigveda I, 1964, 46). In einem weiteren Stadium sehen wir die Idee des Opfers und seiner sühnenden Kraft sich entfalten. Gegen dieses, den sogenannten Brahmanas unter den vedischen Büchern entsprechende Stadium erfolgte eine Reaktion der Intellektuellen, durch die es zur Sammlung der als Upanishaden bekannten Schriften kam, die auch als Vedanta (letzte Blüte der Veden) bezeichnet werden. Die größte der Upanishaden bringt am Eingang das ergreifende Gebet: «Vom Unwirklichen führe mich zum Wirklichen, aus der Finsternis führe mich zum Lichte, vom Tode führe mich zur Unsterblichkeit.» (Brhadaranyaka-Upanishad 3, 3, 37.) In allen Upanishaden finden sich solch tiefsinnige religiöse Reflexionen, die kaum übertroffen werden können. «Weder das Auge kann ihn erreichen noch die Stimme, noch der Geist... Er bewegt alle Dinge, doch selbst ist er der Unbewegliche, ist nah und fern zugleich; ist in allen Dingen und jenseits aller Dinge... Im unsterblichen Brahma ruht die Welt und alles, was da ist. Es ist Leben, Wort, Geist, Wirklichkeit, Unsterblichkeit.» (Mundaka-Upanishad 2, 2, 2.)

Krishna ist die volkstümlichste Inkarnation dieses Gottes. In der Glaubens- und Hingabefrömmigkeit an Krishna hat die Andachts- und Gnadenreligiosität mit ihren zum Monotheismus heranführenden Formen die höchste Blüte in der indischen Volksreligiosität entfaltet.

Sinn des Lebens und Weg des Heils

Neben dem Heilsweg der Liebeshingabe an Gott (Bhakti-marga) stehen im Bhagavadgita auch noch die anderen Heilswege der Werke (Karman-marga) und der Erkenntnis (Jnana-marga). In dieser Hindu-Bibel spricht Krishna als Verkörperung Vishnus über den Karman-Yoga: «Wisse denn: Brahman, der Allesdurchdringer, ist stets gegenwärtig in Opfer und Brauch. Wer nie an diesen Handlungen teilnimmt, führt schlechten Wandel»; über den Yoga der Meditation: «Groß ist der Yogi, denn ihn verlangt, im Brahman zu sein, größer als wer den Leib abtötet, größer als alle Gelehrten, größer als jener, der gute Werke vollbringt ... Mir bringt er dar sein ganzes Herz, in Glaube und Liebe verehrt er mich, mehr noch als alle andern ist dieser Yogi mir lieb»; über den Yoga der Ergebenheit: «Geh in mir auf, laß dein Gemüt in mir ruhen: so wirst du ganz ohne Zweifel wohnen in mir hier und hernach»; weiterhin: «an nichts sei versklavt, noch wünsche den Besitz von Sohn und Weib, von Heim und Haushalt; ruhig begegne dem Schmerz und der Freude; bete zu mir nur gesammelten Herzens. Suche die Einsamkeit ... Pausenlos strebe nach der Erkenntnis des Atman ... Dieses sind, so sagt man, die Quellen der Weisheit»; über den Yoga der hingebenden Entsagung: «Gib mir dein ganzes Herz, liebe mich, bete mich an, erweise mir dauernde Ehre, neige dich einzig vor mir, dann wirst du mich finden. Dies verspreche ich dir, ich, der dich inniglich liebt» (Bhagavadgita, übertragen von I. Krämer 1954, S. 68—196). Das alles zeigt, daß auch im Hinduismus die Hochfrömmigkeit Indiens, ihre Tiefe und ihr Universalismus, wie auch ihre Menschenfreundlichkeit und Toleranz weiter lebt und wirkt. Das gilt insbesondere von seinen großen Geistern der letzten 100 Jahre, deren Stimme seitdem auch im abendländischen Raum nicht mehr überhört werden kann.

Mahatma Gandhi (für den Ende 1969 Gedenkfeiern stattfanden bei uns) wurde zum Führer einer nationalen Bewegung, die auch der westlichen Menschheit Bewunderung abnötigt. Gandhis Nationalismus ist völlig andersartig als der Nationalismus, wie er uns zumeist in der Geschichte begegnet. Es ist ein Nationalismus, der verschwistert ist mit dem Menschheitsideal des Friedens, mit dem reinen Wahrheitssuchen, mit der allumfassenden Liebe Buddhas und mit dem altindischen Asketenideal des Gewaltverzichts nach dem Grundsatz der Bergpredigt «dem Bösen nicht widerstehen». Vor allem ist es Rabīndranāth Tagore, der Dichtermystiker, der Sänger der Freude und Menschenliebe, dessen Ruf nach der Menschheit und der Menschlichkeit in Indien wie in Japan und Europa heute noch nicht verhallt ist. Sein während des Ersten Weltkrieges geschriebenes Werk «Nationalismus» ist ein prophetischer Mahnruf an die Menschheit, den auch bei uns niemand überhören kann und darf. «Die Zeit ist gekommen, wo um der ganzen schmählich mißhandelten Menschheit willen Europa am eigenen Leib die furchtbare Sinnwidrigkeit dessen, was man Nation nennt, in ihrem ganzen Umfang spüren muß. Die Nation ist lange auf Kosten der zerstümmelten Menschlichkeit gediehen ... Aber die ganze Brut der Selbstsucht: Haß und Gier, Furcht und Heuchelei, Argwohn und Tyrannei ist auf die Dauer nicht lebensfähig ... In diesem Kriege hat der Todeskampf der Nation angefangen. Ihr ganzer Mechanismus ist plötzlich toll geworden und hat einen Furientanz begonnen, indem er seine eigenen Glieder zerschmettert und in den Staub wirft ... Dieser furchtbare Krieg hat den Schleier gehoben, und der Westen steht Antlitz in Antlitz seiner Schöpfung gegenüber, der er seine Seele geopfert hat. Und wir Nationslosen, deren Haupt bis in den Staub gebeugt ist, wir wollen uns sagen: daß dieser Staub heiliger ist als die Ziegelsteine, aus denen die Macht ihr stolzes Schloß erbaut ... Wir hegen doch noch die Hoffnung, daß, wenn die Macht von ihrem Thron heruntersteigt und der Liebe Platz macht, wenn der Morgen kommt, wo die blutigen Spuren, welche die Nation zurückließ, als sie durch die Menschheit schritt, hinweg gewaschen werden, man uns ruft, um die menschliche Geschichte wieder zu reinigen». Indien ist nach Rabīndranāth Tagore berufen zum Herold der Menschlichkeit und des Friedens, wie er es in einem Gedicht unter dem Titel «Der Sonnenuntergang des Jahrhunderts» angedeutet hat: «Sei wach Indien! Halte dein Opfer bereit für den Heiligen Sonnenaufgang! Laß deine Stimme die erste sein, die ihn begrüßt und besingt: ‹Komm, Friede, du aus Gottes großem Schmerz geborene Tochter! ... Komm mit dem Kranz der Sanftmut auf der Stirne›.» (Gesammelte Werke, von H. Meyer-Franck, Bd. 7, S. 275 ff. u. 385; nach Fr. Heiler Ökumenische Einheit, a.a.O. S. 12 f.) So hat der Osten seine Künder der Menschlichkeit und des Friedens, die eine Botschaft an den Westen haben.

Das Judentum
Geschichte

Diese Botschaft des Ostens kann den Westen erinnern, daß er nicht auf die Stimme der Bibel gehört hat, die im alttestamentlichen Volk, besonders im jüdischen Prophetentum, in das auch Jesus Christus einzureihen ist, seit Jahrtausenden Brüderlichkeit und Friede unter den Menschen verkündigt hat. Das Judentum ist unter den Weltreligionen die kleinste Religionsgemeinschaft; aber es ist insofern besonders bedeutungsvoll, als auf seinem, von anderen asiatischen Religionen verschiedenen monotheistischen Gottesbegriff auch die Weltreligionen des Christentums und des Islams beruhen. Das Judentum ist eigentlich nicht als Konfession (Religion), Rasse und Nation, sondern als Religionsgemeinde zu bezeichnen, die sich auf Abraham zurückführt, der nach dem Zeugnis der Bibel der Erwählung und Verheißung Gottes gewürdigt ward und daraufhin glaubte, so daß er auch Christen wie Moslemen als Stammvater des Glaubens gilt. Die lebendige Tradition des Bundesvolkes Israel umfaßt die Geschichten von den Erzvätern Abraham, Isaak, Jakob und seinen Söhnen als Stammvätern, dem Auszug aus Ägypten, der Wüstenwanderung zum Berge Sinai, wo Gott, sich des Volksführers Moses als Sprechers bedienend, in dem Bundesschluß mit dem Volk seine Anerkennung als Gott des Himmels und der Erde forderte und Israel als Gottesvolk anerkannnte, was die Sonderstellung des späteren Judentums begründete. In diesem Sinne ist Moses der Prophet seines Volkes und Stifter seiner Religionsgemeinschaft; so wurde Israel eine Nation und Jahwe sein Nationalgott. Die jüdische Glaubensüberzeugung und Gottesverehrung konzentriert sich auf den einen und einzigen Gott, den Herrn des Himmels und der Erde und die Erfüllung seines Willens in der Geschichte des Volkes Israel und im Leben des einzelnen. Dem Judentum eignet weiter der Glaube an die Vergeltung des Guten und Bösen, an die Auferstehung und die Erwartung des kommenden Messias oder messianischen Zeitalters als ewigen Friedensreiches.

Wesen des Judentums

In den Augen profilierter Juden stellt sich das Judentum als eine Religion also dar: «Das Judentum ist kein Dogma, das durch eine jüdische Obrigkeit bestimmt wird. Aber das Bewußtsein der Gemeinde hält bestimmte Grundlehren fest, von denen bald die eine, bald die andere, um sich vom Zeitdenken abzuheben, stärker betont wird. Als solche gelten: Gottes Einheit und Einzigkeit; der Mensch steht Gott ohne Mittler gegenüber; die Welt ist Gottes Schöpfung; ihr Sinn ist die Verwirklichung des Guten; Gott hat seinen Willen offenbart; er ist der Gesetzgeber und Fordernde, der Maßstab des Sittlichen. Der Mensch ist selbständige sittliche Persönlichkeit; Ziel der Menschheit ist das messianische Gottesreich des Friedens, der Liebe und der Gerechtigkeit; Gott hat Israel zur Verkündigung seiner Botschaft berufen; alle Seelen haben gleichen Wert, wes Volkes und welcher Abstammung ihre Träger auch sein mögen; dem irdischen Leben folgt ein Reich der Ewigkeit, über dem Geheimnis waltet. Alle diese Lehren setzen sich in bestimmten Glaubensinhalten fort... Wenn auch das Wesen der Offenbarung in Geheimnis getaucht ist, so sind doch alle Richtungen einig in dem Bekenntnis, daß das Judentum auf göttliche Offenbarung zurückgeht» (Lexikon des Judentums, hrsg. von J. F. Oppenheimer 1967 Sp. 347/8).

Wir können zusammenfassend sagen: Abgesehen von gewissen Richtungen ist dem gesamten Judentum eigentümlich eine optimistische, wirklichkeitsnahe, Welt und Leben als Gottes Werk und Wirkungsfeld anerkennende und die Weltgeschichte als tatkräftige Auswirkung des Gottesreiches auf Erden bejahende Einstellung. Die von Ungerechtigkeit noch erfüllte Welt soll Wohnstätte einer gerechten, in Gottesfrieden geeinten Menschheit werden. Freilich hat das Judentum, so wie es sich heute darstellt, eine lange Entwicklung von einer ursprünglich engen völkisch-nationalen Religion aus durchgemacht, in der Jahwe in einer einseitig engen Bindung mit dem jüdischen volklich-nationalen Leben gesehen wurde. Aber diese nationale Religion wurde von Grund aus gewandelt durch die Propheten.

Wandlung der Religion und Weltanschauung durch die Propheten

Für diese war die Bindung des Nationalgottes an sein Volk keine Selbstverständlichkeit. Die Gegenwart Jahwes im Heiligtum auf dem Sion war nicht unwiderruflich, sondern abhängig von der Erfüllung der sittlichen Gebote Gottes. Die Propheten entdeckten, daß dieser Gott erstlich und letztlich sittlicher Wille ist und Wahrhaftigkeit, Gerechtigkeit und Barmherzigkeit fordert, aber nicht das Blut von Opfertieren und Menschenopfern. Als Wächter über die höchsten sittlichen Normen streift Jahwe in der Erfahrung der Propheten seine nationalen Züge ab und wurde mehr und mehr zum Universalgott, zum Gott aller Völker, zum Herrn der ganzen Erde. Weil den Propheten Gottes heiliges Gesetz das Höchste ist, weil die sittliche Norm unantastbar ist, unabhängig von den augenblicklichen Nützlichkeitsinteressen des Volkes, mußten sie wider ihr Volk stehen, das Gott ungehorsam war. Sie mußten, so schwer es ihnen fiel, Gottes strenge Botschaft ausrichten und ihrem sündenverstrickten Volk Gottes furchtbares Gericht, den nationalen Untergang ankündigen. Sie mußten den Kampf aufnehmen gegen die dem Volk schmeichelnden Heilspropheten, welche sich dazu herbeiließen, der jeweiligen nationalen Interessenpolitik eine religiöse Unterlage zu schaffen, die «Heil» riefen, während das Unheil vor der Türe stand. Aufgrund des Zeugnisses der Propheten wurde der Gottesbegriff Israels erweitert, vergeistigt und vertieft. Die alttestamentliche Religion wurde zu einer umfassenden sittlichen Religion, Jahwe wurde zum Gott der ganzen Menschheit. Sein Heiligtum auf dem Sion sollte zum Zentrum der wahren sittlichen Gottesverehrung aller Völker werden. Zu den genannten fernöstlichen tritt hier ein Prophet in Israel auf, der kündet:

«Es wird geschehen: Da steht der Berg des Hauses des Herrn an der Spitze der Berge festgegründet und ragend über die Hügel und alle Völker strömen zu ihm. Viele Nationen pilgern und sprechen: ‹Auf, laßt uns steigen zum Berge des Herrn und zum Hause des Gottes Jakobs, daß er uns seine Wege lehre und wir schreiten auf seinen Pfaden!› Denn Weisung geht aus von Sion, das Wort des Herrn von Jerusalem. Zwischen den Völkern wird er richten, entscheiden für viele Nationen. Ihre Schwerter schmieden sie zu Pflugscharen um und ihre Speere zu Winzermessern. Nimmer wird Volk gegen Volk das Schwert erheben und nicht mehr lernt man die Kriegskunst. Haus Jakob, wohlan! Laßt uns wandeln im Lichte des Herrn!» (Isaias 2, 2—5; zit. nach Hamp/Stenzel). Die ganze Menschheit tritt so vor das Auge des Propheten, geeint im Frieden in der Anbetung des einen, wahren Gottes. Und diese geeinte Menschheit, die den Gott der Gerechtigkeit, Liebe und des Friedens anbetet, hat die blutigen Zwistigkeiten für immer begraben. Dieser prophetische Friedensruf ist freilich die Frucht unsagbarer Leiden und Demütigungen, die über sein Volk gekommen sind. Israel mußte der ganzen Menschheit diesen wunderbaren Glauben erringen um den Preis schwerer Opfer. Stellvertretend litt es alle Folgen eines kriegerischen Nationalismus, damit die Völker, die nicht besser und frömmer waren, den Weg zum Heil der ganzen Menschheit fanden. Dieses stellvertretende Opfer- und Sühneleiden hat ein anderer unbekannter Exilprophet, den wir Deutero-Jesaia nennen, in unvergleichlicher Weise in seinem «Ebed-Jahwe-Lied» (Kap. 53) ausgesprochen. Die jüdische Deutung sieht im leidenden Gottesknecht, dem «Mann der Schmerzen», «ohne Gestalt und Schöne», der die Krankheiten und Qualen, die Missetaten und Frevel aller Völker trägt, der aber durch sein Leiden den vielen Völkern die Gerechtigkeit bringt, das Volk Israel. Eben darum gibt Jahwe dem Volk Israel unter allen Völkern ein wunderbares Erbe; er macht es zum Träger der universalen Menschheits- und Friedensidee. Aus dem Leiden Israels im ersten vorchristlichen Jahrtausend ist der ökumenische Menschheitsgedanke geboren. Und durch die Leiden des zerstreuten israelitischen Volkes in den beiden folgenden Jahrtausenden bis in unsere Tage wurde die Welt immer wieder daran erinnert, was Menschlichkeit und Frieden ist und welch furchtbares Verbrechen vor Gott und der Welt es ist, aus Religions- und Rassenhaß sich an den göttlichen Normen zu versündigen, die in besonderer Weise durch die Boten dieses Volkes enthüllt worden sind.

Das ist eine grandiose Schau der in der Anbetung des einen Gottes friedlich geeinten Menschheit und des Weltfriedens, an die die Christenheit heute wieder anzuknüpfen hat, wie das tatsächlich das II. Vatikanum getan hat. Aber noch viel hat die Christenheit nachzuholen und gutzumachen, bzw. vom Judentum zu lernen, wie

Fr. Heer feststellt: «Das Christentum gleicht heute einem Baume, wenn man will, einem Wald in den Hochalpen, den ein Sturm entwurzelt hat: Da zeigt sich plötzlich, daß die mächtigen Baumstämme nur wenige Raummeter Erdreich zum Einwurzeln zur Verfügung hatten. Beim II. Vatikanischen Konzil in Rom bemerkten viele Konzilsväter überrascht, daß sie zum atomaren Krieg und zu den anderen großen Lebensfragen der einen Menschheit heute nichts Eigenes zu sagen hatten, da die Kirche bis heute keine Theologie der irdischen Wirklichkeit besitzt. Diese erschreckende Tatsache beruht auf der Nichteinwurzelung des Christentums in dem Erdreich, aus dem es stammt: in jüdischer Frömmigkeit, jüdischer Gottesfurcht, Menschenliebe, Weltliebe, Weltfreude, Geschlechtsfreude, Gegenwartsfreude und Zukunftshoffnung. Im offenen Blick auf die Scheiterhaufen, die der österreichische Katholik Adolf Hitler mit Hilfe seiner katholisch und evangelisch getauften Handlanger anzündete ... kann heute dies sichtbar werden: Eine Chance für das Christentum, wirklich geschichtsmäßig, schöpferisch wirksam zu werden, besteht darin, sich in der Lebensfreude, Lebensfrömmigkeit, Erosmacht, Gegenwartsseligkeit, Leidenskraft und Zukunftshoffnung des alten Israel einzuwurzeln. Jenes Israel, das der furchtbare Zerstörer Paulus, der größte Revolutionär der Menschheit, doch als Gottes erste Liebe anerkannte.» (Gottes erste Liebe, München-Esslingen 1967, S 10 ff.)

Der Islam

Entstehung des Islams

Der biblische Gedanke der Einheit der Menschheit und seiner Heilsgeschichte unter dem göttlichen Schöpfer und barmherzigen Vater hat eine imponierende Parallele gefunden im islamischen Glauben. Neu und original ist am Islam die eigentümliche Verbindung des jüdischen-christlichen Universalismus mit dem volklich-nationalen Religionswesen. Die Entwicklung des Islams zur Universalität hängt zusammen mit der Entfaltung des Prophetenbewußtseins Mohammeds (578—632 n. Chr.). Dieser betrachtete sich ursprünglich als Lokalprophet, der seinem arabischen Volk dieselbe Botschaft zu überbringen habe wie Mose den Juden und Jesus den Christen; die Welt war für Mohammed ursprünglich eine Vielzahl von Gemeinschaften (ummas), zu denen jeweils Gott einen Propheten sandte. Später sah er in sich den Universalpropheten, der als Wiederhersteller der reinen Abrahamsreligion (millat Ibrāhīm) berufen sei, alle Völker zur wahren Religion des Islams zu führen. Anstelle der lokalen und nationalen Religionsgemeinde der Mekkaner und Medinenser trat nun die Weltgemeinde aller an Gott Hingegebenen.

In seiner mekkanischen Periode (nach 618) mahnte Mohammed seine Anhänger zur Geduld gegenüber allen feindlichen Angriffen; in Medina (ab 621) hingegen forderte er sie zuerst dazu auf, diese Angriffe zurückzuweisen; dann befahl er ihnen, selbst zum Angriff überzugehen. Ob Mohammed selber die Bekämpfung der ganzen nichtislamischen Welt wollte, ist nicht sicher; seine Sendschreiben an die außerarabischen Fürsten scheinen jedoch seinen Anspruch auf Unterwerfung der Nichtmoslems zu unterstreichen. Danach müßte die ganze Welt moslimisch werden: ein Gott, eine Gemeinde. Gott ist das Haupt der Gemeinde, er wird durch den Propheten oder durch dessen Stellvertreter (Kalifen) vertreten. Die Leitung der einen Gemeinde untersteht dem Imam, dessen Hauptaufgabe die Bekehrung der Welt ist. Alle Bekenner von schriftlosen Religionen müssen zur Annahme des Islams gezwungen werden, alle «Schriftbesitzer», d. h. Bekenner von Religionen, die heilige Bücher besitzen, nur zur äußeren Unterwerfung unter die politische Herrschaft des Islams und zur Kopfsteuer. Immerhin war dabei zunächst Milde geboten. Zu den fünf religiösen Grundpflichten der Moslems (Bekenntnis der Einheit Gottes, Gebet, Fasten, Almosen, Wallfahrt nach Mekka) wäre fast als sechste Pflicht «der Heilige Krieg» getreten, bei der Sekte der Harigiten war das tatsächlich der Fall.

Lehre

Das heilige Buch des Islams ist der Koran mit seinen 114 Suren, der die durch Propheten wie Moses, Christus und andere vorbereitete und durch Mohammed vollendete Offenbarung Gottes an die Menschen zu sein beansprucht. Der Name Islam bedeutet unbedingte Hingabe an Gottes Willen. In dem bekannten oft zitierten «Thronvers» des Korans (Sure 2, 256) werden die göttlichen Eigenschaften mit folgenden herrlichen Worten ausgesprochen: «Allah! Es gibt keinen Gott außer ihm, dem Lebendigen, dem aus sich selbst Seienden und Allerhaltenden. Schlummer ergreift ihn nicht noch Schlaf. Sein ist, was in den Himmeln und was auf Erden ist. Wer ist es, der bei ihm fürbitten will, es sei denn mit seiner Erlaubnis! Er weiß, was vor ihnen ist und was hinter ihnen; und sie begreifen nichts von seinem Wissen, außer was ihm gefällt. Sein Wissen umfaßt die Himmel und die Erde; und ihre Regierung beschwert ihn nicht; er ist der allgewaltige hocherhabene Gott» (nach: Der heilige Qur-ân, arabisch-deutsch, hrsg. von der Ahmadiyya-Mission des Islams, 1954). Dieser Gott ist es, der die Welt aus dem Nichts erschuf und alles beherrscht und absolut vorherbestimmt, auch die freien Handlungen der Menschen. «Er läßt, wenn er will, in seine Barmherzigkeit eingehen, und für die Frevler hat er qualvolle Strafen bereitet» (Sure 76, 32). Engel sind seine Diener und die Menschen seine Knechte, die sich mit ihrer Hingabe an ihn den Himmel verdienen oder als Ungläubige der ewigen Strafe anheimfallen. Das Jüngste Gericht ist der entsprechende Abschluß der Weltgeschichte mit endgültiger Belohnung oder Bestrafung der Guten und Bösen durch himmlische Genüsse oder höllische Qualen.

An Stelle des Vaterunsers betet der Moslem in der ersten Sure des Korans: «Preis sei Allah, dem Herrn der Welten, dem Gnädigen, dem Barmherzigen, dem Herrscher am Tage des Gerichts. Dir allein dienen wir, und zu dir allein flehen wir um Beistand. Führe uns auf den rechten Weg, den Weg derer, denen du deinen Segen gewährt hast, die nicht dein Mißfallen erregt haben und die nicht irregegangen sind.»

Welt- und Lebensanschauung

Aus diesem Gottesglauben schöpft der Gläubige Kraft zu Arbeit und Kampf und Ergebung in Gottes Willen. Aus ihm fließt ihm aber auch die unbedingte Verpflichtung zur Erfüllung seiner sittlich-religiösen Gebote. «Setze neben Allah nicht einen anderen Gott, auf daß du nicht mit Schimpf bedeckt und verlassen dasitzest. Dein Herr hat befohlen: Verehret keinen denn ihn und erweiset Güte den Eltern ... Euer Herr weiß am besten, was in euren Seelen ist; wenn ihr recht gesinnt seid, dann gewiß ist er verzeihend denen, die sich wieder und wieder zu ihm wenden. Gib dem Verwandten, was ihm gebührt, und ebenso dem Armen und dem Wandersmann, aber vergeude dein Vermögen nicht verschwenderisch ... Tötet eure Kinder nicht aus Furcht vor Armut: Wir sorgen für sie und für euch ... Und nahet nicht dem Ehebruch: siehe das ist eine Schändlichkeit und ein übler Weg. Und ihr sollt nicht das Leben töten, das Allah unverletzlich gemacht hat, es sei denn mit Recht ... Und nahet nicht dem Gut der Waise, es sei denn auf die beste Art, bis sie ihre Reife erreicht hat. Und haltet die Verpflichtung, denn wahrlich über die Verpflichtung muß Rechenschaft abgelegt werden. Und gebt volles Maß, wenn ihr messet, und wäget mit richtiger Waage; das ist durchaus vorteilhaft und letzten Endes das Beste ... Und wandle nicht hochmütig auf Erden ... Das Üble alles dessen ist hassenswert vor dem Angesicht deines Herrn» (Sure 17, 23—39). Aufgrund dieses Glaubens beansprucht der Islam heute, der auch viele Freunde im Abendland hat, die dem Judentum und Christentum, das ohnehin heute dem Säkularismus und Materialismus verfalle, überlegene Weltreligion der Menschheit zu sein. Bei Christen u. a. Gläubigen wachsen die Sympathien für den Islam um so mehr, als dort weite Kreise vom ethischen Monotheismus aus zu einem geistig vertieften und universalen Begriff der Weltgemeinschaft gelangten, wie etwa die sufistischen Mystiker, die die Wahrheitsideen und Werte aller Weltreligionen anerkennen und die Religion der Liebe, auch gegenüber den Feinden, vertreten. Ibn al-Arabi bekennt: «Ich folge der Religion der Liebe, wohin immer auch ihre Kamele sich wenden mögen» (J. Schacht, Der Islam mit Ausschluß des Qor'āns, in: Religionsgeschichtliches Lesebuch 16, Tübingen ²1931, S. 122; vgl. Heiler, Ökumenische Einheit, a.a.O. S. 23 f.).

Nach H. Schell machen die inneren Eigenschaften den Islam heute noch und wieder zum bedeutendsten Konkurrenten der christlichen Religion und Kultur, so daß die Menschen und Völker, die ihm einmal zufallen, im allgemeinen für das Christentum verloren sind. Die außerordentliche Werbekraft des Islams liegt gerade in seinen inneren Eigenschaften. Alle Kräfte des menschlichen seelisch-geistigen Lebens finden in ihm Befriedigung. Nüchternen und verstandesbetonten Menschen entspricht die Einfachheit der mohammedanischen Lehre, die der gläubigen Annahme wenig Schwierigkeiten entgegensetzt. Im Bereich des freien Willens, auf dem Gebiet der Sittlichkeit verfährt der Islam durchaus vernunftgemäß. Das Gewissen und das Gemeinwohl finden in ihm hinreichende Pflege. Auch die schwache Seite des Menschen weiß er zu schonen. Im Punkte der Keuschheit und der inneren Zucht war der Islam stets genügsam und bescheiden. Ausgiebige Nahrung bietet er der frommen Phantasie. Mit einfachen Vernunftlehren sind wohl die höheren Stände, nicht aber die Massen zufrieden; dies hat der Islam meisterhaft verstanden. Der Koran ist an Legendenstoff zur biblischen Geschichte überreich, von den frommen Geschichten ganz zu schweigen, für welche der offizielle Islam nicht ebenso einsteht. In keiner Religion haben Glaube, Freidenkerei und Weltbejahung so nahe beieinander Platz. Nirgends ist ihnen allen die Erwerbung des Heimatrechtes in einer Religion so leicht gemacht wie im Islam. Sogar der Heiligenkult und die Wallfahrten zu ihren Gräbern haben in ihm eine beherrschende Macht gewonnen. Der Islam versteht es, dem religiösen Bedürfnis ohne besondere Schwierigkeiten für den inneren Menschen entgegenzukommen. Er bietet der frommen Phantasie eine Menge von Legenden dar, die die religiöse Neugierde befriedigen, die Gebildeten aber nicht belästigen, und zwar deshalb nicht, weil sie sie nicht ernst zu nehmen brauchen. In äußerlichen religiösen Übungen ist der Islam streng. Der Erfolg und die Stärke des Islams beruhen in seiner Beschränkung auf jenes Maß der Offenbarungswahrheiten, welches dem natürlichen Menschen entspricht: seinem Verstand, der Aufklärung über Grund und Ziel der tatsächlichen Welt verlangt, und dem sittlichen Ideal der Menschennatur, die Rechtschaffenheit und Humanität, Hochherzigkeit und Fortschritt trotz aller Schwäche des Fleisches fordert und achtet um des privaten, sozialen und politischen Wohles willen. Jedenfalls versteht es der Islam, allem gerecht zu werden, was edel ist im Menschen, und dem religiösen Bedürfnis des Menschen in jeder Beziehung zu entsprechen. Die Einfachheit und Glaubwürdigkeit seiner Glaubenslehren, die frommen Legenden, die vernunftgemäße Sittenlehre, die Pflege des Gewissens, die Sorge für das Gemeinwohl sind Vorzüge des Islams, die die edlen sittlich-religiösen Anlagen des Menschen ansprechen und nicht bloß das Volk, sondern auch die Gebildeten heute noch anzuziehen vermögen. Diese Islamdarstellung (1889) hat man Schell damals sehr verübelt, heute aber gibt man ihm recht (vgl. die Erklärung über die nichtchristlichen Religionen des II. Vatikanums).

Wir sehen also, daß alle die nichtchristlichen Religionen, um mit Gandhi zu reden, nichts anderes als Wahrheit und Liebe wollen. Sie alle wollen wahre Menschenliebe, Nächstenliebe, Gerechtigkeit und Frieden unter den Völkern und Menschen, die sie als Einheit, als große Menschheitsfamilie betrachten unter dem gemeinsamen Himmel. Diese Tatsache ist für viele Christen heute eine große Herausforderung und Anfechtung angesichts der Zerrissenheit und Gegensätzlichkeit völkischer, politischer, sozialer, ökonomischer und sittlich-religiöser Art unter den christlichen Völkern und unter den Christen, die sich doch als Kinder Gottes und Brüder Christi um so inniger lieben sollten. Diese Herausforderungen und Anfechtungen verstärkten sich noch weiter, wenn man sieht, daß auch die großen, von den Religionen unabhängigen und mündig gewordenen Weltanschauungssysteme in der heutigen säkularisierten Welt den Ruf nach mehr Menschlichkeit und Mitmenschlichkeit immer stärker erheben. Wir wollen nun auf diese Weltanschauungssysteme im einzelnen näher eingehen.

III. Kapitel

Die Antworten und Heilswege der autonomen religionsunabhängigen Weltanschauungen der heutigen mündigen Welt

Ideengeschichtliche Zusammenhänge dieser Weltanschauungen

Weltanschauliche Grundtypen haben sich, wie gesagt, seit langem aus mythologisch-religiösen Vorstellungen heraus entwickelt und ausgebildet, von denen sie alle Abwandlungen darstellen. Die mit den Religionen zusammenhängenden Weltanschauungen sehen Welt und Menschenleben in Abhängigkeit vom Göttlichen als ihrem Ursprung und Ziel. Damit ist hier von vornherein das Weltanschauungswesen irgendwie vom Transzendenten oder Metaphysischen her bestimmt. Abwandlungen der Weltanschauungen erfolgten hier im wesentlichen von verschiedenen Fassungen des Göttlichen aus und seines entsprechenden Verhältnisses zur Welt und zum Menschenleben. Von da aus ergab sich das Unterscheidungsprinzip der Weltanschauungen in solche des beide voneinander trennenden dualistischen Deismus oder des beide miteinder vereinheitlichenden Immanentismus bzw. Monismus, die sich in ihrer Gegensätzlichkeit zugleich auch wieder berühren und miteinander verschlingen konnten, während vom biblischen religösen Standpunkt aus sich eine theistische, sowohl auf

Transzendenz wie Immanenz eingestellte Weltanschauung hinsichtlich der Bestimmung des Verhältnisses von Gott und Welt entfaltet.

Seit der mit Humanismus und Renaissance beginnenden Neuzeit ist ein neues, naturalistisches und humanistisches Lebensgefühl zum Durchbruch gekommen, das das auf Vernunft und Offenbarung gründende Christentum nicht nur, sondern Religion und Metaphysik überhaupt zersetzt und weithin durch eine immanente Welt- und Lebensanschauung zu ersetzen versucht. Mit der Wiederentdeckung des auf sich selbst gestellten menschlichen Denkens nimmt man den Satz der antiken Philosophie wieder auf: Der Mensch ist das Maß aller Dinge, der Seienden, daß sie sind und der Nichtseienden, daß sie nicht sind. Anstelle einer religiös-theozentrischen (von Gott ausgehenden) setzt sich nun eine säkularisierte anthropenzentrische (vom Menschen ausgehende) Weltanschauung durch. Die Herauslösung des Menschen aus der christlichen und religiös bestimmten Welt, in der er bisher gesichert stand, und die Akzentuierung der rein diesseitigen Aspekte des menschlichen Lebens und Zusammenlebens im Rahmen der Gesamtwirklichkeit rückten natürlich auch entsprechende Seiten dieses Menschseins bald mehr oder minder stark in den Vordergrund, so daß es in der Folgezeit je nach Hervorkehrung der biologischen (leiblichen), der psychologischen (seelischen), der historischen (geschichtlichen), der rationalen oder irrationalen Seiten am Menschsein zu entsprechenden Weltanschauungen des Naturalismus, Materialismus, Psychologismus, Historismus, Rationalismus oder Irrationalismus gekommen ist. Ist doch dem Menschen die Welt mit ihren Lebensbereichen, in denen er lebt, auf die er verwiesen ist, zunächst nicht in ihrer ganzen Wirklichkeit auf einmal gegeben, sondern nur ein Umkreis daraus, den er sich dazu noch langsam nach und nach erobern muß. Auf diese Weise kann der Mensch leicht in der Begeisterung über die Entdeckung der vielfältigen Seinsfülle dieser Welt zunächst meist nur einen Teilbereich ins Blickfeld rücken und als wichtigsten, ja höchsten in den Mittelpunkt stellen. Solche unberechtigte Verabsolutierung schließt immer die Gefahr einer Vereinseitigung der Weltanschauung in den mannigfachen genannten Systemen ein. Zu diesen mehr monistischen Systemen gesellten sich, zum Teil über sie hinausgehend und sie in sich zusammenfassend, und zwar durch die heutige Entwicklung bedingt, die des positivistischen Kollektivismus und Soziologismus und als Gegenschlag, zugleich in Erneuerung des beiden vorangegangenen individualistischen Liberalismus, der heutige Existentialismus. Gewiß sind auch in den früher religiös bedingten Weltanschauungen einseitige Aspekte, etwa rationalistisch-optimistischer oder irrational-pessimistischer u. a. Art mehr oder minder stark mit im Spiele gewesen, aber nicht in einer so ausschließlichen Form aufgetreten, wie es nun seit der Neuzeit in rein säkularisierten Weltanschauungen geschieht.

Hauptrichtungen

Insbesondere ist nun in der Moderne ein dramatischer Gegensatz aufgebrochen zwischen einem (liberalistischen) Individualismus, der seit Ausgang des Mittelalters in der Neuzeit fortschreitend fast das ganze Geistesleben beherrschte, und einem (kollektivistischen) Soziologismus, der sich demgegenüber heute zunehmend Positionen erorbert und anscheinend siegreich in die Zukunft schreitet. Der Individualismus wollte in den letzten drei Jahrhunderten das menschliche Individuum auf allen Gebieten des Lebens zur Autonomie, zur höchsten Vollendung des Seins führen, hat jedoch im Anschluß an den Hegelschen Idealismus mit dem Umschlag des Rationalismus in Biologismus und Naturalismus den Menschen dem Kollektivismus im Marxismus und Kommunismus einerseits wie im totalitären völkischen Nationalismus andererseits überantwortet. Wenn letzterer heute auch vielfach nach der letzten Katastrophe zurückhaltender erscheint, so stehen diese Bewegungen heute doch in mannigfachen Variationen und vielfach verschlungen in zwei Hauptrichtungen in Ausdeutung des menschlichen Lebens und Zusammenlebens, nämlich in Individualismus-Existentialismus einerseits und in Kollektivismus-Soziologismus andererseits einander gegenüber in starker Betonung entweder der Anliegen des individuellen oder des Gemeinschaftslebens. Jedenfalls bemühen sich heute solche Weltanschauungen in den angegebenen verschiedenen Richtungen den Sinn der Welt und des Daseins zu erhellen und menschliche Existenz zu begründen ohne religiöse und christliche Motive, so daß man hier von selbständigen, religionsunabhängigen Weltanschauungen mehr philosophischer Art in einer säkularisierten Welt sprechen kann.

Weltanschauungen als Ideologien bzw. Ersatzreligionen

Weithin bezeichnet man die heutige Welt als eine solche der Gottesferne (M. Buber), des Fehlens Gottes (M. Heidegger) und hält das Ende des Christentums nicht nur, sondern jeglicher Metaphysik und Religion überhaupt (G. Benn) gekommen, an deren Stelle heute Weltanschauungen als Ersatz für frühere Religionen treten müßten. In einer Welt, die von Gott losgelöst ist, ist auch der Mensch aus seinen bisherigen religiös-metaphysischen Sicherungen herausgetreten. Den auf diese Weise der Unsicherheit preisgegebenen Menschen will man nun in der Soziologie bzw. im Soziologismus wieder in der Gemeinschaft bzw. im kollektiven Leben verankern oder ihn im Existentialismus geradezu von der angeblichen Selbstbedrohung des kollektiven Lebens mit seinen unzulänglichen Sicherungen befreien und ihn in existentieller Selbsterhellung und Selbstwerdung befähigen zur einsamen Selbstentscheidung und kraftvollen Selbstverwirklichung seiner Existenz (bzw. Persönlichkeit).

Tatsächlich zeigt uns auch ein Blick in die Religions- und Geistesgeschichte, daß das Ringen um das rechte Verhältnis von Individuum und Gemeinschaft eines der zentralsten Probleme in den geistigen Auseinandersetzungen der Menschen überhaupt war und ist. Mit ihrer Lösung wäre nach Kant das Reich des ewigen Friedens angebrochen. Ja dieses Ringen setzt sich heute auch in verstärktem Maße nicht nur in der profanen Welt, sondern auch in den Weltreligionen fort in den Auseinandersetzungen zwischen personal-religiösem Leben und den Ansprüchen einer institutionalistischen Religion bzw. eines autoritären Kirchentums. Das muß sich natürlich in noch höherem Maße in der Ausbildung der heute anstelle der Religion auftretenden Weltanschauungen zeigen, die wir darum in (kollektivistisch) soziologische und (individualistisch-liberalistisch) existentialistische aufgliedern können.

Unterscheidungsprinzip heutiger Weltanschauungen

Es läßt sich grundsätzlich sagen: In dem Maße als in der heutigen säkularisierten Welt eines sich verbreitenden Immanentismus das überweltliche und übermenschliche göttliche Gegenüber dem Menschen zunehmend aus dem Gesichtskreis schwindet, müssen die bisher auf ein Absolutes bezogenen Akte des Menschen zu einer entsprechenden Überhöhung des menschlichen Ichs oder zur Verabsolutierung des sozial-kulturellen Zusammenlebens, also zu individualistischen und soziologistischen religionsersetzenden Weltanschauungen kommen. So wird das Auswahl- und Abwandlungsprinzip der Grundtypen heutiger Weltanschauungen teils von soziologischen bzw. soziologistischen Faktoren bestimmt, in die der Mensch hineingeboren wird oder hineinkommt, teils von personalistischen bzw. individualistischen aufgrund einer seelisch-geistigen individuellen wie sozialen Veranlagung, wodurch die Weltanschauungen entsprechende Ausprägungen, freilich verschiedener rationalistischer oder irrationalistischer Art erfahren können. Entsprechend dieser von soziologistischen oder von personalistisch-individualistischen Faktoren ausgehenden Einflüsse kann man individualistisch-liberalistisch-existentialistische, mehr zum dualistisch-transzendentalistischen Deismus neigende Weltanschauungen einerseits oder soziologistisch-kollektivistische, mehr zum Immanentismus, Monismus tendierende weltanschauliche Typen, und zwar wieder mehr rationalistisch-optimistischer oder irrationalistisch-pessimistischer Art unterscheiden.

(Ihnen gegenüber können die aus der Religion und dem Christentum folgenden Ideen und Werte theistischer oder ähnlicher religiöser Art entsprechend ausgleichend in der Verhältnisbestimmung des individuellen oder gemeinschaftlichen Lebens und Zusammenlebens in der Welt sich auswirken.)

Wir berühren uns mit dieser Unterscheidung mit der von K. Joel (Wandlungen der Weltanschauung III, Tübingen 1934, S. 699), wonach Aug. Comte anstelle der bestehenden christlichen Religionen als Ersatz die Weltanschauung des sozialen Kultes der Menschheit setzt, die «fanatischer war als jede Religion», und mit A. Lang, der als religionsersetzende Weltanschauungen (bzw. Ideologien) nennt: den das volklich-nationale Leben verabsolutierenden Nationalismus, dann den die klassenlose Gesellschaft als absolutes Ideal ansetzenden Marxismus und Kommunismus und andere Ideologien, denen «trotz ihrer Mannigfaltigkeit gemeinsam ist, daß sie Verabsolutierungen des Menschen sind, nur daß bald die eine, bald die andere Seite des Humanen mehr in den Vordergrund gerückt wird... Bei den Massen ist vor allem der Sozialismus, der Kult der Solidarität und des politischen Messianismus... an die Stelle von... Gottesglaube getreten. Die vital biologischen Werte wurden vergötzt von den Theologen des vollen, gesunden, schöpferischen Lebens, den Anwälten des Machtwillens und der Freiheit (Nietzsche, Klages, Stefan George, Sartre)». Hier wird auch auf die religiöse Dynamik bzw. Dämonie der Weltanschauung des (westlichen) individualistischen Kapitalismus hingewiesen (A. Lang, Wesen und Wahrheit der Religion, München 1957, S. 123—136).

Auf unsere Unterscheidung in individualistisch-existentialistisch und kollektivistisch-soziologistisch ausgerichtete Weltanschauungen kommt im Grund auch die von Szczesny hinaus, wenn er in seinem freilich umstrittenen Buch «Die Zukunft des Unglaubens» (München [8]1959 S. 82 ff.) die den Glauben und die Religion heute ersetzenden weltanschaulichen Systeme der auf der Gegenstands- und Umwelt beruhenden «objektivistischen» und der auf der spezifischen Innenwelt des Menschen beruhenden «subjektivistischen» Typen einander gegenüberstellt. Bezüglich der ersteren heißt es: «Bei einem summarischen Überblick über die Geschichte der objektivistischen Ersatzreligionen ergibt sich dreierlei: erstens muß man zwischen den natur- und gesellschaftswissenschaftlichen unterscheiden, zweitens sind diese Richtungen zwar nebeneinander anzutreffen, aber jede von ihnen hat ihre eigentliche ‹große Zeit›, und drittens macht sich im Verlauf der neueren Geschichte ein Zusammenfließen und Zusammengehen beider Richtungen bemerkbar, wobei das Endprodukt zwar sehr verschieden ausfällt, aber doch ganz klar gegen alle subjektivistischen Konzeptionen abgrenzbar bleibt. Wir erleben, wie sich mit dem Eintritt der Massen in die Geschichte die soziologistischen Deutungen in den Vordergrund schieben und sich gleichzeitig einer naturwissenschaftlichen Komplementär-Theorie vergewissern» (a.a.O. S. 93 f.). Bezüglich der subjektivistischen Typen heißt es weiterhin: «Dennoch darf man die Bedeutung der Individualisten und Subjektivisten auch in unserer Ära nicht unterschätzen. Die Mehrzahl jener Menschen, die in Philosophie, Literatur und Kunst tonangebend sind und der zeitgenössischen Kultur das Gepräge geben, fühlt sich diesem Lager verpflichtet. Die westliche Gesellschaft ist unbeschadet aller materialistisch-kollektivistischen Tendenzen immer noch weitgehend geistig-feudal bestimmt. Die Kultur gilt auch heute noch als oberste und vornehmste der Lebenssphären. Über die Kulturbeflissenen aller Stände wirkt diese Wertsetzung bis ins Kleinbürgertum und Arbeitertum hinab. Dies aber führt, was den allgemeinen Charakter und die Breitenwirkung unserer Kultur anbelangt, zu einer ständigen Verschränkung von naiv-objektivistischen und konventionell-subjektivistischen Strebungen. Dennoch zeigt sich eine klare Spaltung der beiden Lager. Es besteht zwischen Objektivisten und Subjektivisten eine tiefe Feindschaft durch alle sozialen Gruppen hindurch. Die einen empfinden alle Versuche, sie auf objektive Normen zu verpflichten, als Eingriff in die persönliche Freiheit, und die anderen sehen durch die vorwiegende Konzentration des Menschen auf seine privaten und subjektiven Kümmernisse das gesellschaftliche Ordnungsgefüge bedroht» (a.a.O.).

Positivistisch-soziologistische Weltanschauungssysteme in der westlichen Welt (und Amerika)

Die Differenzierung der soziologistischen Weltanschauungen in mannigfache Richtungen ist begründet durch die Verschiedenartigkeit der Bestimmung der sozialen Faktoren und wirtschaftlichen Verhältnisse wie auch der rationalen und geistigen Interessen und Bedürfnisse. Je nach der Art und Weise, wie solche Faktoren einzeln oder zusammen als bedeutungsvoll für den Aufbau, die Struktur und Entwicklung des menschlichen Lebens und Zusammenlebens betrachtet werden, ergeben sich auch entsprechende soziologistische Auffassungen des Lebens und Zusammenlebens.

So vollzieht sich nach dem Franzosen Aug. Comte in wesentlicher Abhängigkeit von den positivistisch-rationalistisch gefaßten Wissens- und sozialen Trieben und ihrer Wechselwirkung und Entwicklung der Gang des gesamten sozialen und geistigen Lebens der Menschen. Der Fortschritt ist hier nur möglich in dem auf den sozialen Trieben beruhenden Zusammenleben der Menschen, das andererseits wieder in seiner Struktur und Entwicklung vollkommen beherrscht erscheint durch das rationalistisch-positivistische Wissenschaftsideal. Von der französischen Durkheimschule wird der Akzent mehr auf die sozialpolitischen Werte der Stammes- und Volksgemeinschaft gelegt. Demgegenüber sind es bei Spencer und im anglo-amerikanischen Positivismus die biologisch-vitalen Bedürfnisse und Ziele des menschlichen Lebens und Zusammenlebens und deren Entfaltung, die einen parallelen Gang der geistig-kulturell-ethischen und weltanschaulichen Werte bedingen. Bei wieder anderen Richtungen, etwa der deutschen Gemeinschafts- und Lebensphilosophie, der sozialpsychologischen und völkischen Soziologie, sind es die sozialpolitischen Werte der Volksgemeinschaft, der Rasse und Stammesverwandtschaft oder auch der Partei, meist im Zusammenhang mit räumlich-zeitlichen, klimatisch-landschaftlichen Bedingungen, die die entsprechenden geistigkulturellen und auch weltanschaulichen Werte bestimmen sollen. Der Marxismus und der Kommunismus betrachten das Sozial-Ökonomische und Politische als tragende Grundlage auch für alle Äußerungen und Inhalte des geistigen Seins. Nach wieder anderen Richtungen sind die aus dem natürlichen Zusammenleben der Menschen erwachsenen irrationalen oder rationalen geistig-seelischen Voraussetzungen, meist zugleich Entsprechungen sozialer Gegegebenheiten, wesentlich bestimmend für die Gestaltung des gesamten sozial-kulturellen und weltanschaulichen Lebens. Aus alledem erklärt sich, warum der Soziologismus, wenn er auch viel Gemeinsames allüberall aufweist, in den verschiedenen Ländern und Kulturkreisen besondere Formen bevorzugt. In diesem Sinne zeigt der Soziologismus in Frankreich eine mehr positivistisch-rationalistische, in der anglo-amerikanischen Welt eine biologistisch-pragmatische Prägung, während diese Arten bei uns mehr ins Philosophische gehen.

Das französische rationalistisch-positivistisch-soziologistische Weltanschauungssystem

In Frankreich geht es dem als Begründer moderner Soziologie geltenden Aug. Comte (1798—1857. Hauptwerk: Cours de philosophie positive, 6 Bde., Paris 1830 bis 1842) wesentlich um eine Weltanschauung als soziale Ersatzreligion. Ihm stellen sich die intellektuellen und sozialen Mißstände der Zeit nur als Erscheinungen der metaphysischen Übergangsperiode dar, die der Einheit des verflossenen theologischen und des kommenden positiven Zustandes ermangeln. Die positive Philosophie soll hin zur idealen Zukunftsgesellschaft führen, in der alle sozialwidrigen Instinkte und Leidenschaften möglichst ausgemerzt sind. Auf diese Weise werden Intellektualität und Sozietät, das heißt eine altruistische Weltanschauung zur höchsten Entfaltung kommen. Charakteristisch für die Fortführung dieser weltanschaulichen

Ideen in einer mehr biologistischen Richtung ist das System J. M. Guyaus. Seine Weltanschauung stellt das Leben in den Mittelpunkt, das zu erhalten und zu mehren ist, was sich aber nur in der Sozietät ermöglichen lasse. In diesem Sinne vertritt er in seiner «Irreligion der Zukunft» (nach der 22. Aufl., deutsch von M. Kette, Leipzig 1910) einen «universalen Soziomorphismus», eine «auf Analogie mit der menschlichen Gesellschaft gestützte Erklärung der Dinge» oder «eine soziologische Welterklärung in mythischer Form» (Sachlich deckt sich damit Bultmanns Entmythologisierungstheologie). Statt der verschiedenen Religionen soll jetzt eine Weltanschauung der reinen Mitmenschlichkeit ohne Dogma, Offenbarung, Wunder, Kult und übernatürliche Autorität gepflegt werden. Diese soziologistische Weltanschauung wird heute in Frankreich vor allem von der Soziologenschule E. Durkheims propagiert. Weil Durkheim die Weltanschauung als Ersatzreligion zur Verklärung und Festigung des laizistischen französischen Gemeinschaftslebens und seiner Moral braucht, wird er auch zu eingehenden Untersuchungen über das soziale Wesen der Religion bewogen (Hauptwerk: Die elementaren Formen des religiösen Lebens, Paris 1912; deutsch von Kelsen). Im Durkheimschen System tritt der soziale und der damit verwandte politische Wert stark in den Vordergrund. Aus seiner sozial-politischen Einstellung, die in einer Zeit der Auflösung anstelle der christlichen die säkularisierte Weltanschauung des französischen Nationalismus setzt und den Franzosen den Glauben an Gott ersetzt, erklären sich der Einfluß und die Bedeutung Durkheims, der sich in seinem 1896 begründeten soziologischen Jahrbuch ein wirksames Werkzeug zur

Verbreitung seiner Anschauungen schuf und mit seinen Schülern weithin die soziologischen Lehrstühle Frankreichs besetzen konnte. In variierter Form wirken solche Ideen in der ethnologischen Forschung (Lévy-Bruhl) weiter, ja bis in religionswissenschaftliche und theologische Kreise (vgl. Mensching, Bultmann u. a.) hinein. Nicht unerwähnt bleiben dürfen hier die Anhänger der «Action Française», unter anderen Ch. Maurras, Abbé Laberthonnière und M. Barràs namentlich, der das Ich als soziales Produkt auffaßt, in dem die Sozietät denkt. Das Ich muß sich von der Stimme des Blutes und Instinktes leiten, der Gang des Lebens von der Erde und den Toten bestimmen lassen. Solche Ideen stimmten durchaus mit dem für Deutschland, Italien und die Welt so verhängnisvollen religionspolitischen Programm nationalistischer Kreise überein.

Die englische biologistisch-individualistisch-soziologistische Weltanschauung

Nach dem für England charakteristischen Spencerschen Weltanschauungssystem (System of Synthetic Philosophy, 1860—95 verfaßt, deutsch von P. Vetter und J. V. Carus, Stuttgart o. J.) bewegt sich die religiös-weltanschauliche Entwicklung entsprechend der sozialen von rohen Anfängen an allmählich immer mehr zu dem erhofften idealen Zustand hin. Mit dem Fortschritt der Zivilisation gehe Hand in Hand eine Spiritualisierung der Geister und Götter und eine entsprechende Höherentwicklung des sozialen Lebens. In diesem Sinne ist Ziel der Religion nach Spencer ihr Beitrag zu der, einer landläufigen englischen Mentalität entsprechenden Weltanschauung der Verbindung des liberalistischen Individualismus mit dem Sozialismus, das heißt des «größtmöglichen Glückes der größtmöglichen Zahl». Es gibt in England eine große Reihe von Autoren, die bis in die Gegenwart ganz im Spencerschen Sinne evolutionistisch-biologistisch-soziologistisch das menschliche, soziale, kulturelle und weltanschauliche Leben deuten und damit weite Kreise beeinflussen und bestärken in einer Weltanschauung der bilogistischen Lebenshilfe im Kampf ums Dasein. Der Einfluß dieser biologistisch-individualistisch-soziologistischen Weltanschauung ist weithin wirksam auch in Amerika sowie bei den nachcomteschen französischen Positivisten und bei den in Deutschland ähnliche Ideen vertretenden lebensphilosophischen und nationalistischen Soziologen, die den gesamten Verlauf der Welt- und Kulturgeschichte als biologistisch bedingt und die sozialen, kulturellen und weltanschaulichen Ideen ausschließlich unter solchen Gesichtspunkten betrachten. Hier glaubt man überall, man müsse das Christentum durch eine den sozialen Verhältnissen entsprechendere Weltanschauung ersetzen.

Die amerikanische pragmatistisch-individualistisch-soziologistische Weltanschauung

Die Einflüsse des westeuropäischen Positivismus haben die Ausbildung des amerikanischen Pragmatismus und Behaviorismus mitbestimmt, der die heutige Weltanschauung in Amerika weithin charakterisiert und vertreten wird namentlich von W. James, C. S. Peirce, John Dewey und J. B. Watson. Man huldigt hier einem unverwüstlichen Fortschrittsoptimismus und vertritt konsequent die soziologistische These, daß das überdurchschnittliche Individuum eine sozialwissenschaftlich kaum zu beachtende Ausnahme bildet. Diese amerikanische Denkweise erscheint mit der in Europa üblichen gekoppelt bei R. M. Mac Iver, T. Parson, R. K. Merton sowie insbesondere auch bei Vertretern der Soziographik und Soziometrik. Einer der repräsentativen Denker Amerikas, W. James (Der Pragmatismus Leipzig ²1928), bekennt sich zum aktiven radikalen Empirismus, nach dem nur das sich irgendwie erfolgreich in der Erfahrung Bewährende wahr ist und existiert. Diesen Standpunkt nennt er humanistischen Empirismus oder pragmatischen Humanismus, der die Idee des menschlichen Lebens als Brennpunkt aller philosophischen Fragen betrachtet. James' Standpunkt will zugleich evolutionär sein, indem er die Weltordnung oder Gesetzmäßigkeit des Universums nicht als eine objektive, vom Geist hinzunehmende Tatsache, sondern als eine Errungenschaft ansieht, die aus dem Tasten und Suchen des menschlichen Geistes allmählich hervorgeht. Hier offenbart sich eine monistische Psychometaphysik, die den Makrokosmos analog der menschlichen Erfahrung psychisch und sozialpsychisch vorstellt, bzw. ein individualistisch-soziologistischer Monismus, der das persönliche Leben zwar nicht ganz im Kollektiven aufgehen lassen will, das aber dann auf dem ausgesprochen soziologistischen Standpunkt Deweys konsequent biologistisch aufgelöst wird. Insofern sich Religion und Christentum mit dieser Denkweise nicht vertragen, müssen sie sich eben durch eine neue entsprechende Weltanschauung ersetzen lassen. Repräsentativ für die hier vorherrschende Auffassung ist der auch in Deutschland bekannte Ch. Elwood (The Reconstruction of Religion, 1922; deutsch: Zur Erneuerung der Religion, 1923). Als praktischer Amerikaner ist er vor allem für «angewandte Soziologie» interessiert mit dem Ziel der Lösung der Probleme der sozialen Ordnung und des Friedens in der Welt. Bei diesem Bestreben ist ihm über Wissenschaft und Erziehung hinaus die Hilfe der entsprechenden Weltfrömmigkeit unentbehrlich. Dabei zeigt sich ihm, daß die bisherige Religion durch eine neue Weltanschauung ersetzt werden müsse. Die heutige Zeit benötige ein «sozialisiertes Christentum», das mit den unbezweifelbaren wissenschaftlichen Anschauungen und mit den sozialen Bedürfnissen der Menschen, nämlich mit Wissenschaft und Demokratie vereinbar ist und «unsere Gesittung zu retten und einen Ausgleich zwischen den sich bekämpfenden Interessen, Völkern, wie Rassen herbeizuführen» vermöge.

Die soziologistische heilsverheißende Weltanschauung des Marxismus und Kommunismus im Osten und bei uns

Am meisten Bedeutung und Anziehungskraft auf die Mensch haben heute unter diesen soziologistischen Weltanschauungssystemen der Marxismus und Kommunismus. Von Karl Marx und dem marxistischen Sozialismus und Kommunismus geht der sogenannte dialektische Materialismus aus, wonach die materiellen sozialökonomischen Grundlagen die Struktur des gesellschaftlichen Lebens und die Inhalte des kulturellen und geistigen Lebens vollkommen bestimmen. Nach seinen ideengeschichtlichen Zusammenhängen erweist sich der Marxismus als eine Synthese des deutschen Hegelianismus und des westlichen Positivismus. Im ersten Ansatz freilich gründet er sich auf die Antithese zur Hegelschen Philosophie, wofür schon Feuerbachs Positivismus das

Vorbild abgeben konnte. Bereits in seinem «Wesen des Christentums» von 1841 hat Feuerbach die These aufgestellt: nicht die Hegelsche Idee und ihr logischer Fortschritt schaffe den Menschen, sondern der Mensch die Ideen. Der als Mitbegründer des marxistischen Sozialismus geltende Fr. Engels stellt fest (L. Feuerbach und der Ausgang der klassischen Philosophie in Deutschland, Berlin ^{2}1895 S. 10 f.), daß Marx bereits 1844 sich für Feuerbachs Ansicht entschied, wonach der sinnlich gegebene empirische Mensch Gott (und Religion) schaffe, nicht umgekehrt. Solche Ansichten, die auch Marxens persönlicher Ausrichtung auf die Bedürfnisse des Lebens und Zusammenlebens entsprachen, wurden noch durch den Einfluß der ihm aus eigenem Studium bekannten französischen Soziologie bestärkt. Auf diese Weise machte Marx seine grundlegende «Entdeckung der materialistischen Geschichtsauffassung»: «Meine Untersuchung mündet in dem Ergebnis, daß Rechtsverhältnisse wie Staatsformen weder aus sich selbst zu begreifen sind, noch aus der sogenannten allgemeinen Entwicklung des menschlichen Geistes, sondern vielmehr in den materiellen Lebensverhältnissen wurzeln» (Zur Kritik der politischen Ökonomie 1859, Vorrede, ^{2}Stuttgart 1907). Diese Bestimmung der Beziehungen zwischen den materiellen Grundlagen und den darauf gründenden geistig-kulturellen Lebensinhalten wird weiterhin verbunden mit dem Gedanken der Entwicklung, woraus die Dialektik und Dynamik des ganzen geschichtlichen Geschehens resultiert: Danach muß sich notwendig mit dem Fortschritt des sozial-ökonomischen Unterbaus auch der Überbau der kulturellen und weltanschaulichen Ideen und Werte ändern.

Die für den marxistischen Sozialismus und Kommunismus wesentliche materialistische Geschichtsauffassung (Diamat) setzt an die Stelle der rationalistisch-positivistischen Entwicklungslehre Comtes und der biologistischen Spencers samt der Hegelschen Dialektik eine sozial-ökonomisch fundierte materialistische Geschichtsdynamik. So zeigt sich hier auch die uns schon vom positivistischen Soziologismus her bekannte zwiespältige Situation: Der dialektische Materialismus will nicht eine bloß hypothetische Weltanschauung oder Ideologie sein, sondern Ausdruck der naturwissenschaftlichen Erkenntnis eines streng kausalgesetzlichen mechanischen Ablaufs. Tatsächlich aber ist er die Formel für einen bestimmten subjektiven, die Verbesserung der sozialen Verhältnisse der Menschen erstrebenden Ersatzglauben bzw. eine ideologische Weltanschauung, wie sich aus den Prognosen und Programmen des Marxismus für die Gegenwart und Zukunft zeigt.

Bei Marx und Engels ist freilich keine systematische Darlegung ihrer Weltanschauung zu erwarten; es werden von ihnen nur gelegentlich Andeutungen gegeben. Th. G. Masaryk sagt darüber: «Die Religion ist für Marx und Engels die höchste, das heißt die von der material-ökonomischen Grundlage sich am weitesten entfernende Ideologie. Religion ist für Marx und Engels nichts als Anthropomorphismus ... So ist für Marx die Religion lediglich eine Theorie, und zwar die kindische und durch die Wissenschaft abgetane Weltanschauung der Vergangenheit ... Engels sucht auch hier Marx und seine eigenen Ansichten zu einem Ganzen zu vereinigen ... Die Religion — lesen wir in der Schrift über Feuerbach — ist als die höchste ideologische Form in uralter Zeit aus unrichtigen, waldursprünglichen... Vorstellungen der Menschen über ihre eigene und die sie umgebende äußere Natur entstanden... Dabei wendet jede Klasse ihre eigene Religion an» (Die philosophischen und soziologischen Grundlagen des Marxismus, Wien 1899 S. 455 f). Wie die marxistische Weltanschauung als Ersatzreligion für die Zukunft aussehen soll, enthüllt uns der marxistische Soziologe Müller-Lyer mit der Forderung, an Stelle der urchristlichen «Civitas dei» jetzt die ««Civitas humana» als weltanschauliche Idee der Menschheit zu setzen (Die Entwicklungsstufen der Menschheit, VII, München 1924 S. 311). Kautzky wendet diese soziologistische Betrachtungsweise auf das Christenum an und fordert konsequent eine entsprechende Weltanschauung als sozialistische Ersatzreligion. Jesu eigentliche Stiftung sei der dem sozialistischen Zukunftsideal ähnliche, vom Klassengegensatz getragene und heute noch vorbildliche kommunistische Staat der Urchristenheit. Das Christentum mit seiner Reich-Gottes-Idee ist nach Kautzky zu reformieren im Sinne der Idee der kommunistischen Auflösung des Besitzes bzw. durch eine sozialistisch-kommunistische Weltanschauung zu ersetzen (Der Ursprung des Christentums, Stuttgart 1919 S. 22 ff. und 496).

Auch in sogenannten religiös-christlich-sozialistischen Kreisen hat bis in die Gegenwart herein die marxistische Weltanschauung Anhänger gefunden. Nach dem Ende des Ersten Weltkrieges gewann der weltanschauliche Sozialismus von der Schweiz her über K. Barth, H. Kutter und L. Ragaz als seinen bedeutendsten Vertretern in Deutschland an Boden, wo P. Tillich mit G. Dehn und Mennicke in Berlin den Kreis religiöser Sozialisten gründete. Durch K. Barth und P. Tillich kam der religiöse Sozialismus in die Einflußsphäre des modernen Existentialismus, der (darin von heutigen Theologen gefolgt) in seine Kritik der Dämonie der Macht, des Kapitalismus, des Bürgertums, der bestehenden Religionsgesellschaften auch die Dämonie des Machtstrebens des marxistischen Sozialismus selbst einbezog. Selbst der Religion und Christentum in ihren bestehenden Formen aufs schärfste bekämpfende russische Kommunismus setzt sich mit seinen Äußerungen objektiv und subjektiv als Weltanschauung an die Stelle der Religion. Ja, er beansprucht, die eindeutige konsequente Auffassung der sozialen religiös-weltanschaulichen Forderungen zu vertreten. So ist der Atheismus des Kommunismus religiöser Ersatzglaube, insofern er die kommunistische soziologistische Weltanschauung oder Ideologie der klassenlosen Gesellschaft als Verwirklichung der vollkommenen Religion der Humanität und des Glückes der befreiten Menschheit in mystischer Verklärung erscheinen läßt (vgl. die heutige Apo). Selbst in anderen europäischen Ländern und darüber hinaus zeigt sich heute ein solcher religionsersetzender weltanschaulicher Soziologismus wirksam. Die einzelnen Richtungen und ihre Vertreter schlagen dabei die verschiedensten Wege ein. Gemeinsam aber ist ihnen meist, daß man in der Weltanschauung den Ausdruck eines alle Beziehungen der Menschen umfassenden und tragenden Lebenssinnes und Ergriffenseins von der letzten Idee einer Totalität des menschlichen Daseins sieht. In romanischen Ländern, etwa Italien, Frankreich u. a., spielt ein solch religiös-weltanschaulicher Sozialismus, vor allem gegenüber dem bürgerlichen Christentum, womöglich eine noch größere Rolle.

Der Marxismus betont immer wieder, daß er sich im Gegensatz zu allen Ideologien rein wissenschaftlich an die Tatsachen und ihre Gesetze hält, was ihn aber nicht hindert, eine subjektive Weltanschauung mit einem Menschenbild zugrunde zu legen, auf dem die soziologistisch und individualistisch zugleich verstandenen Ideen der Freiheit, Gleichheit und Brüderlichkeit beruhen. Dieser marxistische Ersatzglaube ist getragen von einem säkularisierten Exchatologismus und Messianismus. Auf diesen wichtigen Zusammenhang des marxistischen Messianismus macht Berdjajew aufmerksam: Der ausschlaggebende Zug in der Marxschen Theorie der messianischen Berufung des Proletariates besteht in der Übertragung der Eigenschaften des auserwählten Volkes Gottes auf das Proletariat. Marx habe von der Lehre seiner jüdischen Ahnen her die messianische Hoffnung in der Tiefe seiner Seele bewahrt. «Die messianischen Hoffnungen von Marx haben ein neues Ziel gefunden: das Proletariat wurde zum neuen Israel, zum auserwählten Volk Gottes, zum Befreier und Bildner des künftigen Reiches Gottes auf Erden. Marx' proletarischer Kommunismus ist ein säkularisierter Chiliasmus des alten Israel» (Wahrheit und Lüge des Kommunismus, Darmstadt-Genf 1953 S. 24). Der marxistisch-kommunistische Soziologismus ist also ersatzreligiöse Weltanschauung. Im russischen Kommunismus kommt zu diesem Messianismus des Proletariats als weitere starke messianische Strömung das alte ursprüngliche religiöse Sendungsbewußtsein des russischen Volkes. Seit dem 15. Jahrhundert findet dieses Bewußtsein wirksamen

Ausdruck in der Formel von Moskau als dem «Dritten Rom», verbunden mit dem Glauben an die Sendung, der Welt die Erlösung zu bringen. Ausdruck findet diese Tatsache in den Briefen des Starzen Philotheos (Filofej) von Paskow († 1547) an die Moskauer Herrscher. In säkularisierter Form lebte die Idee vom russischen Messianismus wieder auf bei den russischen Revolutionären des 19. Jahrhunderts. Seine letzte antichristliche Gestalt bekam der russische Messianismus im Bolschewismus (der russischen Form des Kommunismus). N. Berdjajew sagt darüber: «Der russische Kommunismus glaubt an das ‹ex Oriente lux›: das Licht der russischen Revolution soll die bürgerliche Finsternis des Abendlandes erleuchten. Das russische Volk hat die alte Idee von Moskau, dem Dritten Rom, nicht erfüllt. Das kaiserliche Rußland war weit entfernt, dem Dritten Rom ähnlich zu werden. An Stelle des Dritten Roms hat aber das russische Volk die Dritte Internationale realisiert. In dieser Dritten Internationalen vollzog sich die verhängnisvolle Vermählung der russischen nationalen messianischen Idee mit dem internationalen proletarischen Messianismus» (Wahrheit und Lüge des Kommunismus S. 26 f.). Abschließend sei ein Wort Leo Trotzkis angeführt, das den Glauben an das kommunistische Endreich auf Erden in der Form des «Sowjetparadieses» leidenschaftlich zum Ausdruck bringt: «Mögen uns die Popen aller Religionsbekenntnisse von dem Paradies in jener Welt erzählen, wir aber sagen, daß wir auf dieser Erde dem Menschen ein wirkliches Paradies schaffen wollen. Wir dürfen nicht auf eine Stunde unser großes Ideal aus dem Gesicht verlieren, das schönste von allem, nach dem die Menschheit strebte: Nehmen Sie die alten

Religionslehren, die Lehre Christi: das Schönste, das Edelste, was in diesen Lehren enthalten ist — es ist in unserer Lehre des Sozialismus verkörpert» (L. Trotzki, Auf zum Kampf gegen den Hunger, 1918, zit. nach W. Nigg, Das ewige Reich, Berlin-München o. J., S. 361).

Zu solcher kommunistisch-östlicher Weltanschauung, die freilich im fernen Osten Asiens und besonders Chinas eine je andere national bedingte Prägung aufweist, zählen heute schon eine Milliarde Menschen, die darin die Wahrheit und das Heil gegeben sehen. Dieser Weltanschauung des kommunistischen Ostblocks steht die individualistisch-liberalistisch-existentialistisch auf Freiheit ausgerichtete Weltanschaaung der westlichen Welt gegenüber, der man eine andere Milliarde der Weltbevölkerung zuzählen mag.

Soziologistische Weltanschauungssysteme und Heilsangebote heute bei uns

Bei uns im Westen nimmt die soziologistische Weltanschauung eine andere Form an. In diesem Zusammenhang ist bezeichnend, daß man heute in der vorherrschenden Richtung der Soziologie weithin den Menschen und seine Werte im Gegensatz zu den traditionellen religiös-christlichen Überzeugungen als bloße Funktionen des Sozialen sieht und damit soziologisiert. So meint R. Behrendt die Frage nach dem Menschen als «wissenschaftlich Bemühter» nur im Gegensatz zum religiösen oder weltanschaulich fundierten Glauben auf wissenschaftliche Art beantworten zu können (Der Mensch im Lichte der Soziologie, Stuttgart 1962, S. 9). Tatsächlich aber handelt es sich hier um eine mit dem Anspruch auf Absolutheit auftretende neue Ideologie.

Wie nun sollen nach dieser Anschauung die neuen Menschentypen aussehen? Nach Behrendts (a.a.O. S. 58) Forderung sollen es neue, ihrer physischen und gesellschaftlichen Umgebung wie auch ihrer inneren, seelischen Struktur bewußte, mündige Menschen sein, die sich aus transzendental oder traditional vorgegebenen Bindungen in eigenständiger, selbstverantwortlicher Orientierung lösen.

Auf die Frage: «Wer wird, von wem, mit welchen Mitteln, zu welchen Zwecken und mit welchen Wirkungen so behandelt und erzogen, eingestilt, gedrillt, konsumbewußt gemacht und unter Modeopium gesetzt, daß wir von Manipulation sprechen können», gibt F. Benseler die Antwort: «Man fühlt sich, je mehr und je länger man sich damit beschäftigt, einem massierten, mit industrieller Übermacht geführten, nur in militärischen Kategorien beschreibbaren Großangriff ausgesetzt: in erster Linie als Konsument, aber auch als Staatsbürger, als homo religiosus und in welcher Rolle man immer erscheinen darf». (Der manipulierte Mensch, in: Pädagogische Provinz, Heft 4/5, 1965, S. 189). Benselers soziologistischer Standpunkt selbst zeigt sich in all seinen Bemerkungen über die «Gesellschaftsdynamisierung»: Die Freiheit bestehe darin, sofort auf Umweltreize zu reagieren. Eine Freiheit, die sich nicht anzupassen verstehe, existiere praktisch nicht, weil sie zur Existenzvernichtung führe. Benseler folgert daraus: «Wir alle werden als Mitglieder der Massengesellschaft von uns selbst als Angehörigen und Abhängigen des industriellen System vermittels wissenschaftlich angewandter Sozialtechnik zum Zwecke konformistisch-harmonischer Gesellschaftsregelung mit der Wirkung des Verlustes möglicher Wahrheitserkenntnis und dem Verzicht auf Freiheit des Widerstands gegen universale Anpassung manipuliert» (Der manipulierte Mensch, S. 202; vgl. W. Jestaedt, Im Labyrinth weltanschaulicher Systeme, In: Deutsche Tagespost 1964, Nr. 129, S. 12).

Der hier vorliegende Tatbestand läßt sich nach Benseler mit dem Schlüsselwort Anpassung zusammenfassen. «Alle manipulativen Verfahren von der Erziehung (K. Mannheim, Freedom, Power and Democratic planning, London 1951) bis zur Werbung nehmen Gesellschaftsanpassungen vor. Man hat richtig bemerkt, daß es die ‹Generalfunktion› der modernen Gesellschaft ist, eine optimale psychische Anpassung der verschiedenen Individuen an die jeweilige kollektive Gesamtfunktion der Gesellschaft einerseits und an ihre verschiedenen konkreten Teilfunktionen und -phasen andererseits zu erreichen (S. Maiwald, Erziehung in soziologischer Schau, in: Universitas 1951, S. 1/99). Das Kind wird durch Erziehung der Erwachsenenwelt angepaßt, der gläubige Mensch bestimmten Moralerfordernissen. Der Soldat lernt im Drill seiner Ausbildung, sich innerlich und äußerlich dem Handwerk des Tötens... anzupassen. Der Arbeiter wird den Bedingungen der Maschine angepaßt, der Konsument der Produktion» (Der manipulierte Mensch, S. 193).

Als Voraussetzungen dafür gibt Benseler folgende an: «Die erste Voraussetzung dieser Ideologie besteht in der ‹Machbarkeit der Welt› (F. Freyer, Die Theorie des gegenwärtigen Zeitalters, Stuttgart 1955). Die industrielle Anwendung der physikalischen, chemischen und biologischen Wissenschaft hat tatsächlich unsere Welt völlig verwandelt: Die Natur ist durch eine von uns ‹gemachte› zweite Natur weitgehend ersetzt... Zweite Voraussetzung ist, daß man weiß, was Verbesserung, Veränderung zum Guten, das Wohl der Gesellschaft ist. Tatsächlich sind diese Werte innerhalb des Systems völlig formal: sie werden demokratisch durch Übereinstimmung der Mehrzahl sanktioniert... Dritte Voraussetzung ist ein positivistisches Menschenbild: Der Mensch ist ein Produkt von Erbe und Milieu. Die Erbanlagen sind nur schwer und bis heute nicht eindeutig zu ändern; durch Veränderungen der Umwelt kann man aber den Sozialcharakter wandeln. Praktisch lassen sich alle menschlichen Fähigkeiten modellieren; der Mensch kann für bestimmte soziale Funktionen zugerichtet werden (K. Sontheimer, Soziologie als Instrument des Konformismus, in: Frankfurter Hefte 1956, S. 535)». (Der manipulierte Mensch, S. 199).

Diese soziologistischen Formen der Verplanung verweisen auf solche biochemischer und biophysikalischer Systeme von Kontrollvorgängen, etwa der eugenischen Selektion, der Mixovariation als Methode der kontrollierten Fortpflanzung, der künstlichen Befruchtung und der Paravariation als der Methode, die die nicht erblichen Veränderungen des Individuums betreffen, etwa in der Form der Kompression und Multiplikation von Hirnleistungen, der Ideovariation bzw. genetischen Mutation der Erbsubstanz als künstlicher Manipulierung des Menschen und damit des Menschlichen überhaupt, womit universale Manipulierbarkeit perfekt erscheint. Es ist interessant, wie energisch sich Anthropologen, Naturwissenschaftler und Mediziner, ja Theologen mit der Prognose von Aldous Huxley auseinandersetzen, wonach durch Samen- und Eizellenkompositionen im Reagenzglas die menschliche Fortpflanzung geplant und Kinder bereits auf ihre künftige Funktion in der Gesellschaft je nach Bedarf erzeugt werden sollen. In diesem Zusammenhang wird hingewiesen auf Teilhard de Chardins Ideen über «Die Entstehung und Zukunft des Menschen» (Luzern-München ³1961, S. 103—125). Mit seiner These von einer Konvergenzphase, einer planetarischen Kompression nach einer divergierenden Evolution der Menschheit, soll diese Vereinheitlichung des Menschen dem Zusammenwirken aller rationalen, technischen, ökonomischen, politischen, sozialen Kräfte entspringen, die eine unaufhaltsame Totalisation der Menschheit bewirken. Wir seien durch die ganze Struktur des Universums gezwungen, uns zu einem Ganzen zusammenschließen zu lassen in einer Art Zwangskollektivierung kosmologischer Art. Für diese globale Synthese bedürfte es eines neuen «Ultra-Menschen» und damit einer «futurologischen Anthropologie». Das Menschliche müsse also über sich selbst hinauswachsen in einen neuen Humanismus der besser organisierten Form des Lebens.

Wohl vertritt auch Karl Rahner im Sinne des Fortschrittsglaubens die These, daß Gott den Menschen so geschaffen hat, daß er sich weiter selbst schafft. Aber der vom heutigen biologistisch-soziologistischen Standpunkt aus vorgefaßte kybernetische Plan einer alle Entscheidungen und Handlungen der Bürger eines Staates oder Weltstaates manipulierenden, kontrollierenden Maschine würde die Vollendung der Verplanung des Menschen bedeuten in einem System von absoluten Kontrollvorgängen. Wäre aber ein solcher Ultra-Mensch noch eigentlich Homo humanus, ein wirklicher Mensch, oder nicht vielmehr etwas ganz Neues? Eine solche Anthropologie hätte keinen Raum mehr für die Würde und Freiheit, die seelischen und sittlichen Grunderfahrungen und Bestimmungen seiner Humanität. Hier gibt es doch Grenzen, die nicht überschritten werden dürfen, wenn der Mensch noch Mensch bleiben soll. Bedingen nicht neue Strukturen der Technisierung, Automatisierung, Rationalisierung und Zivilisierung ebenso auch die entsprechenden durch Anpassung bewirkten neuen Strukturen und damit eine grundsätzlich veränderte neue Qualifikation des Menschseins überhaupt?

In diesem Zusammenhang ist auch auf die Möglichkeit einer Umschichtung der menschlichen Persönlichkeitsstruktur durch chemische, physikalische oder medizinische Mittel, Praktiken und Methoden hinzuweisen. Es handelt sich hier nicht nur um die Problematik bestimmter psychiatrischer und neurochirurgischer Eingriffe, die über dem Spannungsfeld von gezielter Persönlichkeitsveränderung und menschlichem Ethos unmittelbar die Humanitätsfrage betreffen, sondern darüber hinaus um eine geplante Steuerung als Beeinflussung seelischer Funktionen, Antriebsfaktoren, Motivationen unter Ausschaltung zentraler Entscheidungsvermögen durch Drogen oder andere Mittel. Der Einbruch der Technik in den Kern der menschlichen Persönlichkeit bringt nach W. Schöllgen hier die Gefahr des Erlöschens der Persönlichkeit bei Fortdauer eines bloß vitalen Existierens (Der Einbruch der Technik in die menschliche Persönlichkeit, Hochland, Jahrg. 44, 1952, S. 249). Darüber hinaus droht die Überfremdung des Menschen durch die starke Macht der Massenmedien: «Im Namen des Menschen und seiner Personwürde, im Namen also der

Menschlichkeit sollte jene Auffassung nicht unbemerkt bleiben, daß im selben Maße, wie das Recht der Freiheit, der Presse und anderer Medien dringlich und selbstverständlich erscheint, ebenso nicht nur ein heute unzulänglicher Rechtsschutz, sondern auch ein Rufschutz des Staatsbürgers vor der Presse und anderen wirksam und ausreichend gesichert werden müßte, was bisher nicht der Fall ist. Gewisse Praktiken, Methoden könnten letzthin in die Vernichtung der gefeierten Freiheitsrechte und Ehrbezirke der Persönlichkeit zielen und Anlaß zur Besorgnis geben» (Schwarz, Humanismus und Humanität 1965, S. 37). Nach A. Wimmer droht «der totale Rechts- und Wohlfahrtsstaat seine Bürger zu Haustieren der Gemeinschaft zu entmenschen, zu Werkzeugen oder Maschinenmeistern einer Lebensfabrik herabzuwürdigen. Dann wird der Bürger der sittlichen Verantwortung für sich und andere entwöhnt, er verlernt es, in der Unsicherheit auf sich selbst zu stehen» (A. Wimmer, Die Menschenrechte in christlicher Sicht, 1953, S. 9).

Auf dem Standpunkt dieses modernen biologistisch-soziologistischen Denkens freilich erhebt sich nun die Gefahr, daß auch alle höheren Werte des sittlich-religiösen Lebens von höchsten Maßstäben des Gewissens und der Gesinnung entweder verneint oder relativiert oder zu funktionalen Relationen der jeweiligen Gesellschaftsstruktur herabgewürdigt werden. Die Frage nach den Möglichkeiten von Religion und Christentum in dieser Zukunft wurde bisher in keinem der großen Werke der Zukunftswissenschaft, die sich als Futurologie bezeichnet, ernsthaft gestellt. Man kann entweder Gott als tot erklären und Religion überhaupt verneinen oder umfunktionieren in eine soziologistische Weltanschauung. Schon für die Gegenwart spricht M. Heidegger vom «Fehlen Gottes», M. Buber von der «Gottesfinsternis», C. G. Jung vom «Gottestod», E. Topitsch vom «Ende der Metaphysik», G. Ceram vom Ende der Metaphysik und der Hochreligionen überhaupt. Was die Zukunft angeht, so hält es M. Bense für sicher, daß in einer Welt absoluter Wissenschaftlichkeit einfach kein Raum mehr bleibt für die Religiosität, für Metaphysik oder gar für den «Zauber» der Kirchen. K. Steinbuch (Die informierte Gesellschaft, Stuttgart 1966, S. 331 f.; ders., Falsch programmiert, Stuttgart 1968), der Direktor des Instituts für Nachrichtenverarbeitung an der Technischen Hochschule Karlsruhe meint: «Der Mensch ... reflektierte auch auf seine eigene Existenz und frug, wie seine eigene Art, wie diese Natur rings um ihn her entstanden sein könnte... Das Unbehagen über mangelnde Antworten auf solche Fragen wurde gestillt durch irgendwelche Ersatzantworten... So entstand eine bunte Palette mystischer Deutungen ‹letzter Fragen›, die zwar nichts erklärten, wohl aber geeignet waren, fragende Kinder zu beruhigen...» Nach einer Beschreibung der bevorstehenden «Wissenschaftsexplosion» erledigt er das ganze Problem für die Computer-Gesellschaft damit: «Das Selbstverständnis der Menschen wird sich nicht mehr durch Ersatzantworten befriedigen lassen, sondern nur noch durch wissenschaftlich überzeugende Aussagen. Beispielhaft hierfür scheint die Darwinsche Evolutionslehre, welche an die Stelle mystischer Erklärungen über die Erschaffung des Menschen tritt».

Man könnte sagen, eine solche Geisteshaltung sei uns seit Jahrhunderten bekannt genug. Aber so einfach ist das nicht mehr; denn die Aussagen der Futurologen wollen nicht als spekulative Philosophie verstanden werden. Sie wollen lediglich die im voraus berechenbaren Fakten der Zukunft und die unter Umständen sich daraus ergebenden Verhaltensweisen der Zukunfts-Gesellschaft beschreiben. Danach scheint Religion und Christentum in dieser verwissenschaftlichten Welt wenig Chancen mehr zu haben. Wenn die Welt «zu einem geschlossenen System funktionierender Zusammenhänge» geworden ist, «die der Mensch wissenschaftlich übersehen und technisch bewältigen kann», so scheint für Gott kein Raum mehr zu sein (A. Auer, Gottesherrschaft im Planungszeitalter, in: Wer ist das eigentlich Gott?, München 1969, S. 249).

Ein System der vollkommenen menschlichen Planungen und Manipulationen macht ein göttliches Wirken und Walten überflüssig. Auch die Erfahrung der Grenzsituationen und des notwendigen Scheiterns des Menschen in Not und Tod wird in diesem System eingeklammert, neutralisiert als Störungsfaktor der manipulierten Zukunft. So kann in dieser Befindlichkeit des Daseins, wo das Böse aus der mangelnden Einsicht in die aus dem Leben und Zusammenleben resultierenden Gesetze stammend und mit dem Fortschritt behebbar erscheint, keine Rede mehr von Sünde und Schuld sein. Erlösung und Heil bedeuten dann Einsicht in die Lebensgesetze, Befreiung aus den dunklen Hintergründen unserer Existenz und damit auch vor der Angst, die nur als Antrieb zur Selbstwerdung und Selbstverwirklichung der menschlichen Existenz zu verstehen sei. Ja der Mensch glaubt, ohne Gott und seine Gnade erst eigentlich Mensch sein zu können. Damit wird die Religion zu einem Relikt vergangener Zeiten. Ein verbreiteter atheistischer oder revolutionärer Humanismus versucht die Ersetzung der Religion durch ein System rationaler menschlicher Sekurität unter Ablehnung jedes Irrationalismus (Vgl. M. Bense, Warum man Atheist sein muß, in: Jahrbuch für kritische Aufklärung «Club Voltaire» 1963, S. 71; G. Szczesny, Die Zukunft des Unglaubens, München 1959, S. 82 ff.). Hier eröffnet sich ein weites Feld der modernen Ersatzreligionen, die als Heilsbestätigungen von der perfektionierten Technokratie als Erlösungsersatz, von der anstelle der Religion tretenden Wissenschaft bis zu der Massensuggestion des Sports, der sexuellen Triebbefriedigung und einer bestimmten Psychoanalyse als Formen der Selbsterlösung reichen. Nicht nur das Christentum, sondern auch die Hochreligionen Asiens und Afrikas sind von diesem neuen Kulturwandel betroffen, deren künftige Konturen noch niemand absehen kann.

Man kommt nun auf einen anderen Ausweg, Religion und Christentum eine gewisse Bedeutung zu lassen, indem man sie soziologisch in den dynamischen Entwicklungsorganismus der Menschheit einzubeziehen versucht. Religion, Gott und Christentum versucht man in heute verbreiteten Systemen damit noch zu rechtfertigen, daß man sie als soziale Hilfsmittel versteht, aber freilich verflüchtigt. Nach A. Gehlen hat die Religion den Zweck, mit Hilfe ihrer Leitbilder den Menschen über sich selbst hinauszuführen. Der Mensch hat die Welt nicht mehr als göttliche Schöpfung zu betrachten, vielmehr als sein eigenes humanisiertes Werk. Steht für den ungebrochenen religös-christlichen Standpunkt Gott als Maß und Mitte für alle Seins- und Wirkbereiche im

Mittelpunkt, so tritt nun an seine Stelle das soziale Leben. Der Mensch gewinnt den Maßstab seines humanen Handelns nurmehr aus der Gesellschaft. Dieser Maßstab bemißt sich nach Nützlichkeit und Erfolg für das soziale Leben, wobei freilich zu bemerken ist, daß solche Kriterien keine allgemeine Gültigkeit haben und letzthin auch das soziale Leben selbst nicht fördern können, sondern es zerstören müssen.

Deutlich wird so Religion und Christentum in eine soziologistische Weltanschauung umfunktioniert von dem Nobelpreisträger Julian Huxley. Nach seiner Erklärung ist die Religion das unvermeidliche Ergebnis der menschlichen Fähigkeit, abstrakt zu denken und moralisch zu werten; sie ist das notwendige Produkt menschlicher Entwicklung und mit fortschreitender Einsicht in die Zusammenhänge des menschlichen Zusammenlebens entsprechend zu wandeln. Nach seinem Buch «Ich sehe den künftigen Menschen« (München 1966, S. 11 ff.) tut der Welt heute nicht so sehr eine rationalistische Kritik an den alten Religionen not, als vielmehr die religiöse Bejahung von etwas gänzlich Neuem, was man bitter benötigt: ein einheitliches Weltanschauungssystem, das die Unzahl der miteinander im Streit liegenden und unvereinbaren religiösen Systeme ersetzen soll, die heute um den Geist der Menschen wetteifern. Unsere neue Anschauung vom All und der Rolle des Menschen weise den Weg zu einem solchen Gebäude. Alle Religionen seien psychosoziale Organe des evolvierenden Menschen: Sie haben die Aufgabe, dem Menschen zu helfen, mit seinem Schicksal fertig zu werden. Religionen beinhalten das Numinose, den Sinn für Gut und Bös, das Gefühl der Schuld, der Scham, der Sünde. Sie berühren alle irgendwie die Beziehungen zwischen dem Individuum und der Gemeinschaft, sie kreisen immer um die Möglichkeiten, unter denen der Mensch dem Gefängnis von Raum und Zeit und der Selbstsucht entkommen kann, indem sie ihn auf etwas Höheres verweisen oder ihn in einem die Grenzen des Ichs durchbrechenden Erleben zur Verbindung oder Vereinigung mit einer umfassenderen Wirklichkeit führen.

Obwohl wir das Universum in seinem ganzen Dasein nur als unergründliches Geheimnis gewärtigen können, das der Mensch staunend und frei zu bejahen hat, können der Verstand und die Vorstellungskraft des Menschen dennoch dazu beitragen, viele Einzelheiten seiner Aktionsweise und das Zusammenspiel seiner wirkenden Kräfte zu erhellen. Dies gelte ebenso für die Religion wie für Kunst und Wissenschaft. Auf all diesen Gebieten sei die ökologische Betrachtungsweise wesentlich. So könne die Religion nützlicherweise als angewandte geistige Ökologie aufgefaßt werden. Die Beziehungen, die zum Aufgabenkreis der Religion gehören, sind die Beziehungen zwischen den Menschen und der übrigen Natur, zwischen dem individuellen Ich und den übrigen Elementen seiner inneren Natur, sowie die Beziehungen zwischen individuellen Männern und Frauen mit ihresgleichen wie auch mit den menschlichen Gemeinschaften.

Ausdrücklich stellt Huxley sein Einverständnis mit John Robinsons Theorie fest, daß nämlich das geistige Bild Gottes für uns heute eher ein Hindernis als eine Hilfe darstelle, so daß die Christen sich in dieser Generation dem schmerzlichen Prozeß unterziehen müßten, sich selbst von diesem Idol loszusagen. Er meint, daß einem das Gefühl einer überwältigenden geistigen Befreiung überkomme, wenn man sich von der Vorstellung Gottes als eines übermenschlichen Wesens lossage. Er ordnet sich durchaus in die Reihe der heutigen Vertreter der Gottes-Tod-Theologie ein, wenn er schreibt: «Die Gotteshypothese ist heute wissenschaftlich nicht mehr verfechtbar, sie hat ihren klärenden Wert verloren und lastet intellektuell und ethisch auf unserem Denken. Sie überzeugt und tröstet nicht mehr; sich von ihr loszusagen, vermittelt ein tiefes Gefühl von Erleichterung» (Huxley a.a.O. S. 223). Hinsichtlich der zukünftigen Entwicklung der Religion meint Huxley: Die religiöse Triebkraft werde sich fortschreitend immer mehr mit der Organisierung der Gesellschaft befassen, was in der unmittelbaren Zukunft die Entwicklung der Gesellschaft auf der Grundlage der Nation oder überregionaler Völkergruppen bedeute. Die Frage, wohin der Weg des Menschen zu einer neuen Weltanschauung führen mag, beantwortet Arnold J. Toynbee so: In der Zukunft wie in der Vergangenheit werde der gemeinsame geistige Gehalt der historisch überlieferten Religionen der Leitstern der Menschheit sein. Wenn alle Ideologien erschöpft sein werden, wenn der solange ungestillte Hunger des Menschen nach materiellen Gütern gestillt sein wird und der Mensch auch von seiner vorübergehenden Überfütterung durch die Sättigung geheilt ist, dann würden die Ideale und Gebote, die in den historischen Religionen enthalten sind, endlich zu ihrem Recht kommen in einer neuen sozialen Weltanschauung (Die Zukunft des Westens, München 1964, S. 176).

Weltanschauungssysteme des Existentialismus und ihre Antworten

Ganz andere Antworten und Heilswege als der Soziologismus bietet der Existentialismus heutigen Menschen an. Die Anfänge dieser, übrigens wenig einheitlichen Bewegung, gehen bis ins 19. Jahrhundert auf die dort noch lebendigen Kräfte des neuzeitlichen Individualismus und der Lebensphilosophie überhaupt zurück. Die Bewegung des Existentialismus hat seit dem Ersten Weltkrieg besonders an Bedeutung gewonnen. Der gemeinsame Ausgangspunkt der existentialistischen Richtungen, deren typische Vertreter im Anschluß an S. Kierkegaard die Philosophen K. Jaspers und M. Heidegger sind, ist der Begriff der Existenz (vgl. dazu O. F. Bollnow, Existenzphilosophie, in: Systematische Philosophie, hrsg. von N. Hartmann, Stuttgart-Berlin 1943, S. 313—341; dazu auch meine Schrift: Christliche Existenz heute, Würzburg 1947). Dieser Begriff geht auf die alte Unterscheidung zurück zwischen der «Essentia» als dem, was etwas ist, also dem inhaltlichen Sosein oder dem Wesen, und der «Existentia» als jenem Moment, daß etwas ist, also wirklich ist, da ist. Der Begriff der Existenz wird aber dann von der Existenzphilosophie nach seinem Umfang enger auf das menschliche Dasein bezogen. Hier ist auseinanderzuhalten, daß Existenz nicht dasselbe wie Dasein besagt, wenn dieses auch auf den Menschen eingeschränkt erscheint. Existenz bedeutet hier das Ziel, das der Mensch als Möglichkeit und Aufgabe in Freiheit zu verwirklichen hat. In diesem Sinn spricht Jaspers und ähnlich auch Heidegger vom «Dasein ohne Existenz» (Jaspers, Die geistige Situation der Zeit,

Berlin und Leipzig 1931, S. 37). Dabei ist der Übergang von dem einen Zustand zum anderen nicht in allmählicher Höherentwicklung zu denken; vielmehr ist Existenz als etwas ganz anderes wie in einem «Sprung» der Freiheit und in völliger Abwendung vom Dasein in der Welt und Mitwelt als dem der Uneigentlichkeit und Verfallenheit in das weltliche und Massendasein zu verstehen.

Das, was Existenz hier meint, wird uns noch deutlicher, wenn wir sie in ihrem Verhältnis zur Welt und zum Leben und in ihrer Zeitlichkeit und Geschichtlichkeit betrachten. Da ergibt sich nun Folgendes: Während im hegelschen Idealismus Welt und Leben das Feld der Tätigkeit und Bewährung des Menschen sind und im positivistischen Soziologismus Welt und Leben das den einzelnen tragende und schützend umfangende Ganze darstellen, lebt die Existenz aus der Spannung zur Welt. Das im individualistischen Idealismus und im positivistischen Soziologismus lebendige optimistische Welt- und Lebensgefühl und die Vertrautheit in der «entzauberten» Welt (M. Webers z. B.) brechen hier pessimistisch zusammen. Dieses Verhältnis der Spannung gegenüber der Welt verschärft sich noch durch die Gefühle der Angst, Wehmut und Verzweiflung, die dem Menschen die Welt und das Leben verblassen und gleichgültig werden lassen und ihn versetzen in die völlige Einsamkeit und Leere. Sie werfen ihn auf sich selbst zurück und lassen ihn im Augenblick der Angst und Verzweiflung sein eigenes Selbst in tapferer Entschlossenheit in die Hand nehmen und so zur wahrhaften Existenz kommen.

Im Verhältnis der Existenz zur Welt ist das zur Mitwelt, das heißt zu den Mitmenschen, mitgegeben. Nach Heidegger «ist Dasein wesenhaft Mitsein» (Sein und Zeit, [4]Halle 1935, S. 120). Aber wie die Welt und das Leben, so ist auch die Gemeinschaft für die Existenzphilosophie nicht etwas Wertvolles, sondern das, dem der Mensch verfällt, das ihn von seiner eigenen Existenz zurückhält. Existenz bedeutet also in der Existenzphilosophie die Isolierung des einzelnen einsamen Menschen. Der «Einsame» ist die Grundkategorie des existentiellen Denkens sowohl bei Kiergegaard als bei Jaspers und Heidegger. Das sehen wir bei der Betrachtung der einzelnen Systeme des Existentialismus.

Karl Jaspers Weltanschauung

In Karl Jaspers existenzphilosophischer Weltanschauung kehrt die Existenztheologie Kierkegaards in den einzelnen Positionen in säkularisierter philosophischer bzw. weltanschaulicher Form wieder. Gegenüber dem Positivismus und Idealismus wird die Vereinzelung des menschlichen Selbstseins schon darin deutlich, daß es nicht im Zusammenhang mit dem vorhandenen Weltsein oder dem gegebenen Ideenreich mitgegeben, sondern als Aufgabe gegeben erscheint (Philosophie, II. Bd., Berlin 1956, S. 2). Im natürlichen Dasein in der Welt und Mitwelt ist der Mensch verfallen an die Welt. Er führt noch ein uneigentliches Massendasein, von dem er sich zum neuen Leben des eigentlichen «Selbstseins» in freier persönlicher Selbstentscheidung durchringen muß. «Obgleich ich in der Welt bin, vermag ich mich allem gegenüberzustellen. Unlustig, an dem Treiben teilzunehmen, habe ich die Möglichkeit, in der Welt doch zugleich außerhalb der Welt sein zu können ... So erobere ich mein eigenes Sein in der absoluten Einsamkeit... Diese Einsamkeit ist nicht endgültig; sie birgt andere Möglichkeit in sich... Als mögliche Existenz, die in dieser einsamen Punktualität des Außerhalbgetretenseins sich wie in einem Keime birgt, tut es den zweiten Sprung zur Erhellung. Es macht sich die Grenzsituationen, die es in unerschütterlichem Wissen als sich fremd fallen ließ, als Möglichkeiten, die es selbst im Wesen seines Seins treffen, philosophierend deutlich... Die denkende Erhellung der Grenzsituationen ist jedoch als erhellende Betrachtung noch nicht existentielle Verwirklichung... Es ist der dritte und eigentliche Sprung, in dem mögliche Existenz zur wirklichen wird... Die drei Sprünge gingen vom Weltdasein angesichts der Fragwürdigkeit von allem zur substantiellen Einsamkeit des universal Wissenden, vom Betrachten der Dinge angesichts meiner notwendigen Teilnahme an der Welt des Scheiterns zum Erhellen möglicher Existenz, vom Dasein als möglicher Existenz zur wirklichen Existenz in Grenzsituationen... Nur wer absolut allein war, kann Existenz werden» (Philosophie II, S. 204 ff.).

Zwar ist, wie schon erwähnt, dem Menschen mit der Welt auch die Mitwelt und der Nebenmensch gegeben. Das natürliche Dasein aber in der Welt und Mitwelt ist ein existenzfeindliches Massendasein, ein «Dasein ohne Existenz». Erst im Abstoßen von diesem Dasein in der Gesellschaft oder Masse kommt der Mensch zur eigentlichen Existenz und zu neuem Mitsein. «Komme ich zu mir selbst, so liegt in dieser Kommunikation beides: Ichsein und Mit-dem-Anderen-Sein.» Aber sofort wird hinzugefügt: «Und nicht in Kommunikation treten ohne einsam zu sein. In aller Aufhebung der Einsamkeit durch Kommunikation wächst eine neue Einsamkeit, die nicht verschwinden kann, ohne daß ich selbst als Bedingung der Kommunikation aufhöre» (Philosophie II S. 61). Wohl hat Jaspers für Religion und Christentum eine gewisse Sympathie und möchte sie nicht widersprüchlich zum existenzphilosophischen Glauben sehen. Doch setzt er diesen philosophisch-weltanschaulichen Glauben als höheren über den religiösen und erkennt ihm den Primat zu, da für ihn der philosophisch-weltanschaulich Glaubende und Existierende der eigentliche Mensch ist und seiner Meinung nach schwer zum religiösen Glauben kommen kann. Für Jaspers kann und soll letzten Endes doch diese philosophische Weltanschauung die religiöse und christliche ersetzen. Man wird das leicht daraus erklären können, daß die Existenzphilosophie wesentlich eine autonome, innerweltliche und lebensimmanente Lebenshaltung will und darin konsequent die Transzendenz zum inhaltlosen Transzendieren herabsinken muß. Auf diese Weise scheint nun bei Jaspers die eigentliche Substanz religiösen und christlichen Glaubens preisgegeben zugunsten der Inhalte der uns schon von Kant, Comte und den sich anschließenden idealistischen, positivistischen und lebensphilosophischen Soziologen her bekannten, aus individualistisch-soziologistischen Voraussetzungen heraus als Ersatz für das Christentum konstruierten rein vernünftigen Weltanschauung.

Martin Heidegger

Auch Martin Heidegger geht es um die Verwirklichung der menschlichen Existenz, des menschlichen Selbstseins gegenüber persönlichkeitsfeindlichen soziologistischen

Systemen und Gewalten. Dasein stellt sich nach ihm in seiner Selbstgegebenheit ursprünglich und immer wesenhaft als einzelnes, als «je-meiniges» dar. «Das Seiende, dessen Analyse zur Aufgabe steht, sind wir ja selbst. Das Sein dieses Seienden ist je meines. Im Sein dieses Seienden verhält sich dieses selbst zu seinem Sein, als Seiendes dieses Seins ist es seinem eigenen Zusein überantwortet» (Sein und Zeit, S. 40). Wenn Dasein sich in der Selbstentscheidung gewinnt, wird es Existenz: «Das Dasein bestimmt sich als Seiendes je aus seiner Möglichkeit, die es ist und in seinem Sein irgendwie versteht. Das ist der formale Sinn der Existenzverfassung des Daseins» (a.a.O. S. 43).

Nun gehört aber doch auch für Heidegger das Dasein zur Welt und zur Mitwelt, wie diese umgekehrt zu ihm gehören. Das Dasein erscheint bei ihm ganz in die Welt hineingestellt und immanent der Welt verhaftet. Es unterscheidet die Welt in die Umwelt der «Zeugdinge», die wesenhaft «etwas um zu», nämlich zum Gebrauch der Menschen ist, und das «Mitsein», das «selbst Dasein ist und nicht besorgt wird, sondern in der Fürsorge steht» (a.a.O. S. 68 ff. u. 121). Es erscheint dann aber weiterhin die Mitwelt wie die Umwelt nicht als das die Einzelpersönlichkeit schützende und tragende Ganze, sondern als in Gegensatz und Spannung zum menschlichen Einzeldasein stehend, das sich ihm gegenüber nur im Kampf zur eigenen Existenz durchringen kann.

Das wirksamste Mittel, den Einzelnen vor der Verfallenheit an die Welt zu retten, ist der Begriff der Angst, der hier in profaner Form in Anschluß an Kierkegaards Theologie eingeführt wird. «In der Angst vor dem Tode wird das Dasein vor es selbst gebracht als überantwortet der unüberholbaren Möglichkeit» (a.a.O. S. 254). So wirft die Gewissensangst den Menschen im Hinblick auf das Nichts seines Woher und Wohin von der Verfallenheit an die Welt auf sich selbst zurück und zwingt ihn, in Entschlossenheit sein Selbstsein mit der Last seiner Einsamkeit und einsamen Aufgaben zu bejahen. «In der Angst versinkt das umweltlich Zuhandene, überhaupt das innerweltlich Seiende. Die ‹Welt› vermag nichts mehr zu bieten, ebenso wenig das Mitdasein Anderer ... Die Angst vereinzelt und erschließt so das Dasein als ‹solus ipse›. Dieser existentiale ‹Solipsismus› versetzt aber so wenig ein isoliertes Subjektding in die harmlose Leere eines weltlosen Vorkommens, daß es das Dasein gerade in einem extremen Sinne vor seine Welt als Welt und damit es selbst vor sich selbst als In-der-Welt-sein bringt» (a.a.O. S. 187 ff.). So erscheint bei Heidegger die Vereinzelung des persönlichen Seins auf radikalste Weise durchgeführt. Die rein daseinsimmanente Auffassung des Menschen und das Entschwinden Gottes bis zum nebulosen Nichts stellen das menschliche Einzelleben vollkommen auf sich selbst. Damit kehrt die individualistisch-liberalistische Weltanschauung des autonomen Menschen, wie wir sie vom individualistischen Idealismus her kennen, in konsequenter Form wieder. Damit zeigt sich zugleich auch die andere von dort bekannte Erscheinung, daß dieser Individualismus stets zum Soziologismus umzuschlagen droht. Da das menschliche Dasein in reine Bezughaftigkeit aufgelöst wird, wird es selbst zum Zeug und dem Kollektiv überantwortet.

Bei *Sartre* zeigt sich dieser Existentialismus konsequent zu Ende gedacht in *Atheismus* und schließlich in

Nihilismus. Das menschliche Dasein kommt aus dem Nichts, das Nichts geht neben ihm her, es geht wieder ins Nichts ein. Angesichts dieses Nichts muß der Mensch trotzig-heroisch sein Schicksal auf sich nehmen und meistern. Nach den vielen hinter uns liegenden und in der Zukunft zu erwartenden Katastrophen spricht eine solche Weltanschauung heute besonders viele Jugendliche an.

Existentialistische Theologen der Bultmannschule und ihre Weltanschauung

Existentialistische Theologen der Bultmannschule entmythologisieren auf Grund ihrer neuen Weltanschauung die christliche Religion von ihrem eigentlichen Gehalt: Der Mensch soll in Freiheit zur Selbstverwirklichung kommen und frei sich der Zukunft mit ihren Aufgaben im Mitsein mit den anderen eröffnen. Nach ihrer Grundthese liegt ein mythisch die Welt und die Geschichte der Menschen als Schauplatz des wunderbaren Wirkens übernatürlicher Wesen, Gottes, der Engel und Dämonen betrachtendes Weltbild wie der ganzen damaligen Zeit überhaupt so auch der Vorstellungswelt der Bibel zugrunde, das in der heutigen Zeit angesichts der modernen Wissenschaft als veraltet abgetan werden müsse. Der angeblich hinter den mythologischen Weltbildern und Einkleidungen verborgene Sinn soll im wesentlichen in der Erhellung und Verwirklichung des existentiellen Selbstverständnisses des Menschen bestehen. Ein solches Selbstverständnis werde dem Menschen heute geboten in der Existenzphilosophie, wonach eine Grundverfassung des heutigen Menschen seine Verfallenheit an die Welt der Vergänglichkeit sei, die von Bultmann als

Sünde bezeichnet wird. Einem solchen Leben in Verfallenheit stehe das echte Leben des Menschen gegenüber, das unter Preisgabe der Sicherheit aus dem Unsichtbaren, Unverfügbaren lebt. Diese wahrhaft christliche Existenz aber sei nur möglich in der gnadenhaften Begegnung mit Gott. «Die Gnade Gottes ist sündenvergebende Gnade, das heißt sie befreit den Menschen von seiner Vergangenheit, die ihn gefangen hält.» In diesem Sinne also sei die gnadenhafte Sündenvergebung lediglich zu verstehen als Befreiung des Menschen von der Verfallenheit an die vergängliche Welt und dem eigenmächtigen Streben nach selbstgeschaffenen Sicherungen. «Und eben das heißt ‹Glaube›: sich der Zukunft öffnen.»

Das Leben aus dem Glauben ist nicht Hingabe an Gottes Willen, der ja nicht als Schöpfer und Herr der Welt und des Menschen erkennbar ist, wie auch der Schöpfungsglaube bloß Mythos sei. Solch neuer existentieller Ersatzglaube dürfe ferner kein zuständliches Sein etwa in Hoffnung, Liebe u. a. sein, sondern vielmehr jeweilige Bewährung in den konkreten menschlichen Lebenssituationen. In dies neue Verständnis wird auch die evangelische Forderung gefaßt: «nicht im Fleische, sondern im Geiste zu wandeln» und so «ein neues Geschöpf zu sein». Dieser Glaube ist also mehr Selbsterlösung als gnadenhaftes Heil durch Gott in Christus. Der individualistische Naturalismus einer solchen Religionsauffassung, die sich nicht wesentlich von dem Kantisch-Hegelschen Standpunkt unterscheidet, wird besonders dadurch deutlich, daß für Bultmann Glaube und Liebe nicht übernatürliche Qualitäten sind, sondern rein «natürliche Haltungen echter Menschlichkeit», wie sie uns auch von der Existenzphilosophie her bekannt sind. Es zeigt sich also, daß Bultmann in Konsequenz seines Denkens auf eine neue Auffassung des Christentums als einer Art natürlichen Glaubens, d. h. eine liberalistische Weltanschauung hinauszukommen scheint (Bultmann, Neues Testament und Mythos, in: Kerygma und Mythos 1. Bd. 1948, S. 29).

Diese neue theologische Auffassung eines entmythologisierten Christentums bleibt wesentlich im Rahmen des existenzphilosophischen Glaubens der Selbsterhellung und -verwirklichung menschlicher Existenz. Dies aber ist eine völlige Naturalisierung und Vermenschlichung des übernatürlich-heilsgeschichtlichen Gehaltes des Christentums. Wenn auch der Schöpfungsbegriff entmythologisiert und jeglicher Eingriff Gottes auf die Welt nach Art des Deismus verneint wird, scheint es, daß auch die letzte religiöse Tatsache, daß Gott in Christus heilsgeschichtlich gehandelt hat, für dieses neue Christentum zu entmythologisieren ist. So aber ist die eigentliche Substanz des Christentums, wie es sich bisher verstand, preisgegeben und ein neues an seine Stelle gesetzt. Letzten Endes kommt also auch Bultmann wesentlich auf eine rein natürliche Weltanschauung echter Menschlichkeit hinaus. Alle Vorstellungen eines historisch-übernatürlichen Heilsgeschehens aber werden nun wie bei Kant als aus dem Kirchenglauben entsprungen und als Vehikel zur Herbeiführung einer reinen humanitären Weltanschauung gewertet.

So entmythologisiert denn auch Bultmanns Schüler W. Kamlah den angeblich christlich-theologischen Überbau völlig und hält Gott ganz im Sinne des Kantianismus und Existentialismus für das unbekannte X, das hinter unserem Leben im Dienste echter Menschlichkeit steht, während ihm der Einzelne im Tode untergeht. Entschieden stellt Kamlah den philosophischen über den christlichen Glauben mit der Feststellung, die Philosophie vermöge das neutestamentliche Verständnis der Liebe zu korrigieren bzw. zu ersetzen. Während die christliche Liebe «die Bahn des geschichtlichen Bestandes» zerstöre und durch Brechung des Vorrangs des geschichtlich Nahen zugunsten einer auf alle gleichmäßig gerichteten Liebe gar nicht den wahren «Nächsten» zu Gesicht bekomme, zeige die Philosophie diesen als den geschichtlich Verbundenen und lege so allein die wahre Natürlichkeit des Menschen frei. «Als das wahre Verständnis des Seins macht die Philosophie die natürliche Hingabe zu ihrer ganzen Wahrheit frei» (Kamlah, Christentum und Selbstbehauptung, 1940).

Krisis und Ende der Bultmann-Theologie im soziologistischen Atheismus

Die radikalsten Konsequenzen vom Standpunkt solcher Existenztheologie aus zieht J. Kahl im Sinne einer ganz achristlichen Weltanschauung der Humanität in seinem Buch: «Das Elend des Christentums oder Plädoyer für eine Humanität ohne Gott» (Rowohlt 1968), das in kürzester Zeit heute eine weite Leserschaft gefunden hat (im Mai 1969: 75. Tausend). Nachdem Kahl in Marburg mit einem existenztheologischen Thema promoviert hatte, trat er aus der evangelischen Kirche und Theologie aus, geschreckt durch das Schicksal Oberbecks, der am Ende seines Theologenlebens bekannt hat: «Ich darf wohl sagen, daß mich das Christentum mein Leben gekostet hat». Kahl orientiert sich nun vorwiegend an der marxistischen Ideologiekritik und propagiert unter

Aufdeckung des Elends des Christentums eine Weltanschauung der Humanität ohne Gott. Nach ihm ist der Anspruch, den das offizielle, und zwar sowohl das katholische wie lutherische und reformierte Christentum geistig, moralisch und politisch bis zur Stunde erhebt, tatsächlich unbegründet. Jedermann wisse, daß die Zahl derer, die dieses oder jenes Christentum glauben, eine kleine Minderheit darstelle; dennoch sei des großspurigen Redens von der westlichen Welt, vom Abendland, von der Bundesrepublik, die christlich zu sein hätten, kein Ende. Niemand nehme an, daß das Apostolische und Nizänische Glaubensbekenntnis heute noch etwas bewirke in Philosophie, Kunst und Leben, während dennoch sich die Theologie weiter in der Rolle des Spiritus rector gefalle. Immer neue Generationen wüchsen in die große Kulturlüge hinein und hielten es für selbstverständlich, Bekenntnisse als Dekorationen zu benützen, hinter großen Worten kleine oder keine Taten zu verbergen, Mitglieder einer Glaubensbewegung, in die sie ohne ihr Zutun hineingetauft werden, zu bleiben, um ein für allemal Ruhe vor dem zu haben, was der Glaube bewegen soll.

Angesichts des Anspruchs der Botschaft des Christentums «Friede auf Erden und den Menschen ein Wohlgefallen» zu bringen, die «Mühseligen und Beladenen zu erquicken» und «alles neu zu machen», wird ein wüstes Bild von dem Elend gezeichnet, das das Christentum über die Menschen gebracht habe. Das Christentum sei so heillos zerspalten in Gruppen und so uneins, daß es unmöglich sei zu definieren, was überhaupt Christentum ist. Die Realbilanz der Kirchengeschichte sei Anarchie im Ethos. Die Geschichte des Christentums selbst wird mit Oberbeck als «beste Schule des Atheismus» bezeichnet. Die christliche Religion, die mit der Nächstenliebe hausieren gehe, habe seit den Anfängen bis heute im Namen Gottes und Christi die ungeheuerlichsten und grausamsten Gewalttaten geduldet, begünstigt oder selber begangen Das Neue Testament sei eine Legitimierung der Sklaverei und ein Manifest des Antisemitismus, der Unmenschlichkeit, ein groß angelegter Massenbetrug. Das Christentum habe die blutigsten Verfolgungen der Heiden und Juden auf dem Gewissen. Es habe die Sexualität verteufelt und die Frauen diffamiert. Soweit das Gebot der Nächstenliebe die Christen dem Wortlaut nach vereine, sei es auch bei anderen bekannt und anerkannt und erweise sich bei den Christen als Leerformel.

Als Folgerung aus der Untersuchung wird gefordert, daß das Christentum die unrechtmäßigen Machtpositionen räumen müsse, daß unter Durchführung vollkommener Religionsfreiheit die Trennung zwischen Kirche, Staat, Universitäten und Schulen vollkommen durchgeführt werde.

Nach G. Szczesny, der die Einführung zu dem Buche schrieb, wird hier als Ergebnis herausgestellt, daß nun der biblische Glaube keinen Platz mehr habe. Wir fänden ein remythologisiertes, ein in Chiffren, Gleichnisse, Bilder zurückverwandeltes Christentum, eine der vielen Geschichten, in denen die Menschen von ihren Hoffnungen und ihrem Elend sprechen. Somit bleibe den Menschen nichts anderes übrig als eine rein natürliche humanitäre Weltanschauung, wie sie Szczesny selbst vertritt in seinem Buch über «Die Zukunft des Unglaubens». Das Erschütternste daran aber ist, daß der Erfolg dieser viel gelesenen Literatur einen heute weitverbreiteten Schwund des Christentums offenbart, an dessen Stelle nun eine rein säkularisierte Weltanschauung bei breiten Massen getreten scheint.

In diesem Sinne stellt Kahls Buch nach seiner Abwertung des Christentums als wertvolle Traditionsströme für die von ihm propagierte neue säkularisierte Weltanschauung heraus: «Das kontinentale germanische Erbe, die jüdische Geistigkeit, das Erbe der römischen und griechischen Antike, die arabisch-sarazenische Kultur, die Aufklärung mit ihrer Folgeerscheinung (Liberalismus, Marxismus). Hier finden wir die wirklichen Wurzeln der säkularen Welt von heute. Bereits die Griechen und Römer verfügten über erstaunliche Kentnisse in Physik und Astronomie und wußten sie auch technisch zu verwerten. Die griechische Aufklärung brachte etliche konsequent atheistische Philosophen hervor, bei denen sich sämtliche Motive der neuzeitlichen Gottesleugnung finden (Protagoras, Demokrit, Prodikos, Kritias, Euhemeros, Trasymachos, Diagoras). Der Einfluß der arabisch-sarazenischen Kultur auf Europa ist nicht weniger bedeutsam, wenn auch leider fast völlig unbekannt (siehe dazu Sigrid Hunke «Allahs Sonne über dem Abendland. Unser arabisches Erbe»). Den Arabern verdankt Eropa nicht nur das heutige Zahlensystem, sondern auch grundlegende Kenntnisse der Mathematik, der Astronomie, der Medizin sowie der Philosophie (Avicenna). Die vielgeschmähte Aufklärung schließlich verhalf — in stetem Kampf gegen die Kirchen — dem Walten der Vernunft erneut zum Zuge und führte jenen Begriff von Humanität herauf, den auch viele Christen heute nicht mehr missen mögen. Was als Abschluß und als Auftakt zu sagen bleibt, sei formuliert mit Worten, die Karl Marx in der Einleitung zur Kritik der Hegelschen Rechtsphilosophie schrieb: ‹Die Kritik der Religion endet mit der Lehre, daß der Mensch das höchste Wesen für den Menschen sei, also mit dem kategorischen Imperativ, alle Verhältnisse umzuwerfen, in denen der Mensch ein erniedrigtes, ein geknechtetes, ein verlassenes, ein verächtliches Wesen ist, Verhältnisse, die man nicht besser schildern kann als durch den Ausruf eines Franzosen bei einer projektierten Hundesteuer: ‹Arme Hunde! Man will euch wie Menschen behandeln!›» Das ist also auch das Ende und die Krisis der Bultmannschen Existenztheologie. Entgegen der weitverbreiteten Meinung, diese Glaubenslehre sei die einzig zeitgenössische, die der wissenschaftlichen Kritik heute standhalte, wird nachgewiesen, daß auch sie dem Dogmatismus-Vorwurf verfällt und abgetan werden muß.

Angesichts dieser bunten Mannigfaltigkeit der in ihren vielen zum Teil auch positiven Ideen und Werte durchaus imponierenden Antworten und Heilswege ist es verständlich, daß viele Christen in ihrer religiösen Überzeugung Anfechtungen erfahren, ja daß nicht wenige eine andere geistige Heimat wählen zu müssen glauben. Gleichwohl wird es dem tiefer Blickenden und Ringenden auf die Dauer nicht verborgen bleiben können, daß alle die genannten Heilsangebote und Antworten der nichtchristlichen Religionen und Weltanschauungen die überragende Fülle von Licht und Leben nicht überbieten können, die das Christentum dem bringt, der bereit ist, sich von ihm beschenken zu lassen für sein persönliches und Gemeinschaftsleben.

IV. Kapitel

Der Wahrheits- und Heilsanspruch des Christentums

Jesus Christus als «der Weg, die Wahrheit und das Leben» für alle

Um das Christentum in seinem Selbstverständnis gegenüber anderen Religionen und Weltanschauungen zu verstehen, müssen wir über die Spaltungen in Katholiken, Orthodoxe und Evangelische hinaus ausgehen von Jesus Christus als Stifter des Christentums, das nach seinem Willen eine einheitliche Gemeinschaft darstellen soll. Hat doch die Christenheit Grund und Ziel darin, daß sie das in Christus geschehene Heilsereignis der Versöhnung und Gemeinschaft mit Gott durch seinen Geist gegenwärtig macht in Durchführung des ihr gegebenen Auftrages. So gesehen, verweist die in Christus erfüllte Offenbarung auf die Geschichte der Religionen, die nur möglich und wirklich sind, weil Gott sich den Menschen erschließt in der Welt und Geschichte als seinem Werk und in dem im Menschenherzen lebendigen und im Gewissen bezeugten Gesetz. Die Menschen in den Religionen stehen so bereits im Lichtkreis des göttlichen Logos, der die Welt erschuf, in ihr und im Gewissen sich bezeugt und in Christus Mensch geworden ist. So erkennt auch das II. Vatikanum im Dekret über «das Verhältnis der Kirche zu den nichtchristlichen Religionen» deren positive Ideen und Werte durchaus an.

Das Christentum will aber auch die Erfüllung der Religionen sein. In Jesus Christus ist das Anliegen der Religion als Ordnung des Menschen zu Gott und Gemeinschaft mit ihm als Heil verwirklicht. Jesus ist nach seinem Selbstanspruch der Gottmensch. Jesus ist wahrer Mensch, ja das Bild des Menschen schlechthin. Wenn der Mensch dadurch radikal konstituiert wird, daß er in Gott existiert und gründet, ist dies bei Jesus in einer einmaligen Weise geschehen. So ist Jesus Christus auch der Vollender der Religion, insofern er durch Hingabe an Gott in Gehorsam und Liebe die vollkommene Gemeinschaft mit Gott verwirklicht und sie als Heilbringer auch den Menschen erwirkt und vermittelt. Auf einmalige Weise ist er so der Mittler zwischen Gott und den Menschen. Die Erfüllung der Religion als Gemeinschaft mit Gott in Jesus Christus ist besonders dadurch möglich, daß er in einmaliger Weise zu Gott steht, daß er als «Herr des Sabbats» mehr ist als Moses und die Propheten, als Salomon und der Tempel (Mt 12,3—6). Er ist der Vollender der Religion auch insofern, als er das Heilsziel aller Religion, Gott und die Gemeinschaft mit ihm als Heil in seiner Person gegenwärtig macht: «Alles ist mir von meinem Vater übergeben. Niemand kennt den Sohn als nur der Vater, und niemand kennt den Vater als nur der Sohn und der, dem der Sohn es offenbaren will» (Mt 11,27; Lk 10,22). »Niemand kommt zum Vater außer durch mich» (Jo 14,6). Er spricht und wirkt aus dem Bewußtsein, daß Gott in seiner Person sich selbst erschlossen hat. Das Matthäuswort von dem einen Lehrer Christus (Mt 23,8 ff.) ist gleichwertig dem johanneischen: «Ich bin der Weg, die Wahrheit und das Leben» (Jo 14,6).

Der gewiß nicht voreingenommene Jude H. J. Schoeps stellt in seinem Vergleich Christi mit anderen Religionsstiftern und ihren Lehren fest: «Buddha, Muhammed und Jesus, alle drei sind Stifter, aber ihre Bedeutung und ihre Funktion bei der Stiftung ist in charakteristischer Weise verschieden. Der Buddha tritt ganz zurück hinter der Lehre, die er in einer begnadeten Stunde entdeckt. Er ging auf dem Wege voraus, und seine Jünger folgen ihm. Der alte Buddhismus hat den Glauben an die Personalität als eine gefährliche Form des Irrwahns dargestellt, es gibt kein Selbst, es gibt nur die Erkenntnis, daß kein Selbst ist. So kann auch die Person Buddhas keine Bedeutung mehr besitzen. Er ist nichts mehr, da er nun ins Nirvana einging. Muhammed und auch Moses dagegen wissen sich als beauftragte Boten ihres Gottes. Ihre Bedeutung liegt im Gehorsam, den sie leisteten. So wurden sie brauchbare Werkzeuge Gottes für ihre Aufgabe ... Beide sind Boten, die Bedeutung ihrer Person besteht in dieser Aufgabe, ... aber Heilsbedeutung besitzt ihre Person darüber hinaus nicht. Christus dagegen ist für die Kirche der Heiland. Die religiöse Entscheidung zum Ergreifen des Heils besteht in der Nachfolge, zu der er auffordert, im Leiden, ja bis zur Aufgabe der eigenen Person. ‹Wer sein Leben verliert um meinetwillen, der wird es finden.› Christus ist in Person das, was er gebracht hat. Er überbringt nicht eine Botschaft, welche zur Entscheidung ruft, sondern er selbst ist die Entscheidung. ‹Wer nicht sein Kreuz auf sich nimmt und mir nachfolgt, der ist meiner nicht wert.› ‹Wer nicht mit mir ist, der ist wider mich.› Ein ungeheures messianisches Bewußtsein spricht aus diesen Worten. Christi Person in ihrer geschichtlichen Einmaligkeit ist für die Gläubigen das Heil, bestimmt das Sein, das Tun und die Lehre des Christentums. Hier liegt... das Paradox der christlichen Religionsstiftung und des Christenglaubens überhaupt« (Schoeps, Gottheit und Menschheit, Stuttgart 1950 S. 24).

Als Vollender der Religion ist Jesus Christus zugleich Maß und Gericht über andere Religionen. Damit ist nicht gesagt, daß mit ihm alle Religionen zu Ende gegangen oder zu beseitigen wären; vielmehr ist gemeint, daß die Fragen aller Religionen der Menschheit nach dem Woher und Wohin, nach Grund und Ziel des Daseins in Christus beantwortet sind; daß das Ziel, wohin alle religiösen Bestrebungen und Sehnsüchte der Menschen gehen, in der von Christus verwirklichten Gemeinschaft, ja Einheit der Menschheit mit Gott erfüllt sind. Nach Rahner ist «Christentum nicht etwas, was der Mensch erdenkt oder erfindet. Christentum ist auch nicht das Gehen des Menschen zu Gott aus eigener Kraft. Christentum ist auch nicht in erster Linie eine Erfüllung von Geboten, die Gott gegeben hat, damit wir sie selber von uns her tun. Christentum ist vielmehr die Tat des lebendigen Gottes an uns: es ist dasjenige, was er, der lebendige Gott der Gnade, in Vergebung, Erlösung, in Rechtfertigung und Mitteilung seiner eigenen Herrlichkeit uns gibt... Dieses Eine und Ganze kann man von Gott betrachten, dann ist es die Liebe Gottes zum Menschen, in der Gott sich selber dem Menschen mitteilt. Man kann es auch vom Menschen her sehen, dann ist es die dem Menschen von Gott geschenkte Liebe des Menschen zu Gott, in der er die Gabe, die Gott selber ist, annimmt. Von dieser Liebe des Menschen zu Gott sagt nun freilich Jesus auch, daß sie die Liebe zum Nächsten einschließt, daß wir also in diesem einfachen Ganzen den Nächsten nicht vergessen dürfen. In unserem Zusammenhang bedeutet dies vor allem, daß diese Liebe zum Nächsten in der Liebe zu Gott vor allem auch darin besteht, daß der Empfang des ganzen göttlichen Lebens in der Kraft der Gnade Gottes, in Glaube und Liebe hinein in die Innerlichkeit eines Herzens auch zum Segen gereicht und gereichen muß für die Andern, die neben uns und mit uns das eine Heil des ewigen Gottes empfangen sollen» (K. Rahner, Chancen des Christentums, in: Das freie Wort in der Kirche, Einsiedeln 1955, S. 60—74).

In diesem Sinne ist die von Christus gestiftete Religion die absolute Religion, und damit auch die Zukunftsreligion der Menschheit überhaupt. «Wenn aber dem so ist», schließt H. Fries, «dann kann man die christliche Religion bestimmen als zeitlich und räumlich universale Religion, als Menschheitsreligion, als unüberbietbar offene, geschichtliche, konkrete, personale Religion. Ihre so spezifisch bestimmte Exklusivität ermöglicht zugleich ihre Universalität. Alle Zukunft der Religion ist die Zukunft der Offenbarung. Was kommt, ist ein Einholen der Offenbarung und des Glaubens selbst. Von diesen Perspektiven aus gibt es nicht nur eine neue Form der Begegnung von christlichem Offenbarungsglauben und Religionen, sondern auch eine neue Gemeinsamkeit all derer, die des ‹ordo ad Deum› eingedenk, ihn, wie vielfältig auch immer, zu realisieren suchen» (Fries, Handbuch theologischer Grundbegriffe II, S. 440 f.).

Daraus folgt, daß das Christentum die anderen Religionen seinem Maß und Gericht unterstellen muß, nicht soweit diese echte Wahrheiten und Werte enthalten, sondern insofern sie irregehen können als Selbsterlösungssysteme, die sich dem Anruf Christi zur Umkehr und Buße verschließen. So wird die Frage nach dem Verhältnis von Christentum und Religionen immer wieder einmünden in die Grundfrage, wie im Christentum, in seinem Sein, Wort und Wirken, Jesus Christus präsent und transparent ist als göttlicher Stifter, der als Heil aller Menschen, wie Christen glauben, erschienen ist. Von hier aus ergibt sich ein neues Ja zu den Religionen, indem man sie von Christus her als dem Logos, Schöpfer, Erlöser, dem Haupt der Schöpfung und der Kirche und Erstgeborenen vor aller Schöpfung (Kol 1,15—18) heilsökonomisch sieht. So wird anerkannt, daß Gottes Heilsplan von Anfang an alle Menschen umfaßt, so daß er wirklich Vater aller Menschen ist. Dann versteht man die Welt- und Religionsgeschichte als Heilsgeschichte, deren Tatsächlichkeit der Bund Gottes mit Abraham bezeugt, so daß die Religionen von Anfang an im Lichte der Heilsoffenbarung stehen, wie ja auch das Heilshandeln Gottes in Abraham und dem Bund mit Israel dahin geht, ein Heilszeichen für alle Völker aufzurichten.

Die christliche Welt- und Lebensanschauung

Die aus dem christlichen Gottes-, Schöpfungs- und Heilsbegriff sich ergebenden weltanschaulichen Werte und Gestaltungskräfte lassen sich im Unterschied von denen anderer Weltreligionen und Weltanschauungen also zusammenfassen: Aus dem christlichen Glauben, daß Gott nicht aus Willkür, sondern aus Liebe die Welt erschuf und erhält, erwächst dem Christen die sichere Lebenseinstellung und das Vertrauen in das vernünftige Walten Gottes in allen Dingen. Er weiß, daß er zwar nicht Gott auf Erden ist, wie der asiatische Monismus meint, daß er aber auch nicht bloß unterwürfiger Knecht göttlichen Willens sein muß, wie man nach biblischer Gesetzesreligiosität (Islam, Judentum) meinen möchte. Der Begriff der Schöpfung im Verein mit dem der Erlösung macht es dem Christen zur Pflicht, nicht die Welt pessimistisch zu fliehen, auch nicht optimistisch diesseitsfreudig in ihr aufzugehen, sondern in Freiheit und in Auswirkung seiner erlösten Gottebenbildlichkeit sich die Herrschaft über die eigene und umgebende Natur als Partner Gottes anzueignen. So dient er der Herbeiführung des Reiches Gottes, dessen Zukunft Christus predigte, indem er in weltüberwindendem Tun und Streben zum Vollchristen wird und zugleich in Gemeinschaft mit Gott und den Mitmenschen in seine Vollendung im Jenseits hineinwächst.

Man möchte nun, wie gesagt, heute weithin anstelle des Christentums, ja der Religionen überhaupt, deren Ende man prophezeit, wissenschaftlich begründeten Weltanschauungen den Vorzug geben, die den Menschen allein den Sinn seines Daseins zeigen und zu wahrer Existenz verhelfen könnten, indem sie rein immanent auf das diesseitige Leben und Zusammenleben eingestellt, der Menschheit gültige Antwort auf die Sinnfrage geben und den Heilsweg zur wahren Mitmenschlichkeit und zum wahren Frieden vermitteln. Aber selbst Kant, der allenthalben als «Allzermalmer der Metaphysik» gilt, weiß, daß auch nach Abfassung seiner «kritischen Philosophie» die Menschheit nicht aufhören werde, die religiös-weltanschaulichen Fragen nach dem übersinnlichen Grund und Sinn der Welt und des Lebens zu stellen. So geht es auch jetzt wie in der Zukunft um das Problem, ob der christliche Gottesglaube (Theismus) als geistige Denk- und Lebensform überhaupt noch eine Rolle spielen könne. An den heute neben dem Christum verbreiteten Systemen soziologistischer oder existentialistischer Weltanschauungen ist zu bemängeln, daß im Soziologismus die freie menschliche Persönlichkeit bedroht erscheint durch impersonale Mächte, im Existentialismus aber zugunsten der menschlichen Freiheit die Bedeutung der Gemeinschaft mit dem transzendenten Grund der Welt und den Mitmenschen abgewertet wird. Der christliche Theismus aber bietet Raum für die Gleichgewichtsstellung zwischen Persönlichkeit und Gemeinschaft, wie er auch eine befriedigendere Antwort auf die letzten Fragen nach Grund und Sinn der Welt und des Lebens weiß, der in der Herbeiführung des Reiches Gottes, in personaler Selbstvervollkommnung und wahrer Gottes- und Menschengemeinschaft gründet. Von Soziologismus und Existentialismus dagegen gilt in ihrer Einseitigkeit das Dichterwort: «Sie haben die Teile in der Hand, fehlt leider nur das einigende Band.»

Ein Blick auf die heutigen Analysen unserer kulturellen Situation macht das deutlich. A. Weber unterscheidet in seiner «Kulturgeschichte als Kultursoziologie» ([2]1950) drei historische Zeitschichten mit je einem besonderen Menschentyp und eine vierte sich bildende Schicht. Danach steht am Beginn der primitive, natur- und erdhaft gebundene Mensch; dann folgt der sich mit Ackerbau und Viehzucht beschäftigende Mensch mit bis in die Gegenwart reichenden Hochkulturen. Es entwickelt sich weiter der an Freiheit und Gerechtigkeit orientierte abendländisch-neuzeitliche Mensch mit Ausbildung von «Sozialreligionen» bzw. Weltanschauungen der Demokratie und des Sozialismus. Über ihn hinaus ist heute bei der zunehmenden technischen und organisatorischen Gestaltung des Daseins mit den Apparaturen von Großräumigkeiten, Großorganisationen sowie Spezialisierung und Rationalisierung der Arbeitsgestaltung der vierte Mensch im Kommen, der nur noch Funktionär ökonomischer und technischer Vorgänge ist und damit von der Spaltung seiner Persönlichkeit in ein relativ gutartiges Menschentum und ein unpersönliches Funktionärtum mit mechanisiertem Intellekt und Willen bedroht erscheint. Weber fragt die das Dasein gestaltenden, auf der Weltbühne noch vorhandenen «Spontaneitätsfaktoren», nämlich die «Sozialreligionen» genannten großen Weltanschauungen, was sie mit der drohenden Entpersönlichung, Funktionalisierung und Enthumanisierung anfangen werden, um das gefährdete Menschentum zu retten. Wenn er auch das Christentum nicht nennt, so dürfen wir doch annehmen, daß seine Frage auch als Herausforderung an das Christentum gemeint ist. Wir sahen bereits, daß die oben genannten Bestrebungen, die A. Weber wohl mit seinem Begriff «Sozialreligionen» mit betroffen hat, bzw. daß ihre Ansprüche, Religion und Christentum ersetzen zu wollen, wegen ihrer Einseitigkeiten das Heil in der Zukunft nicht verbürgen können.

Ernsthaft mit dem Christentum konkurrierende und einen Überlegenheitsanspruch ihm gegenüber geltend machende Religionen und Weltanschauungen müßten nach K. Rahner zunächst einmal transzendental sein. Sie müßten dem Menschen eine befriedigende Antwort auf die Rätsel des menschlichen Lebens geben und einen ihn überzeugenden günstigen Ausgang aus dieser Welt eröffnen. Neue Religionen und Weltanschauungen, die das Christentum überbieten wollten, müßten sodann heute in der Zeit des globalen Denkens und Lebens universal die Menschen aller Zonen und Zeiten befriedigen können. Sie müßten auch in Zukunft sehr realistisch, d. h. den Grenzsituationen des Lebens gewachsen sein, insbesondere den Menschen in Leiden und Tod, die auch in Zukunft nicht ausbleiben, das Heil überzeugend zu zeigen und zu vermitteln wissen. Neue Religionen und Weltanschauungen müßten endlich auch historisch sein, eine traditionelle Macht, die verankert ist in den Seelen wie das Christentum, das sich mit seinem jahrtausendealten Einfluß auf die Menschen nicht mehr ganz ausschalten läßt. Neue Religionen und Weltanschauungen müßten schließlich noch solche des Übermenschen sein. Das aber, nämlich transzendental, universal, realistisch, historisch und übermenschlich oder gottmenschlich, ist allein die Religion und Weltanschauung des Christentums.

Antwort auf die Anfechtungen des Christentums

Jesus von Nazareth ist, wie die neuzeitliche Exegese feststellt, als Vollender der Prophetenreligion anzusehen. Er selbst sieht sich noch durchaus als Jude in seinem Leben, wie auch seine Lehre entsprechende Züge trägt. Doch wächst seine Verkündigung ins Universale, zumal er ja bei Heiden mehr Glauben fand als in Israel. Mit dieser Ausweitung über die Schranken des herkömmlichen Nationalismus hinaus vertiefte und erweiterte er die Religiosität ins Personale und allgemein

Menschliche zugleich. Aus den Licht- und Kraftquellen seiner Lehren und Taten erwuchs die universale christliche Brüdergemeinde, die ökumenisch aus Juden und Heiden sich aufbaute. Der universale Menschheits- und Brüderlichkeitsgedanke wurde namentlich gefördert durch die Inkarnationslehre, wie sie die christlichen Theologen im Anschluß an die paulinisch-johanneische Theologie ausbauten. In Christus werden alle Menschen Brüder des Erstgeborenen, des Gottessohnes. Wo Christus ist, ist die catholica ecclesia, die ganze Welt und Menschheit umfassende Kirche. Für Augustinus bedeutet katholisch: Gemeinschaft haben mit dem ganzen Erdkreis (communicari orbi terrarum). In seiner Civitas Dei entwickelt er die Idee einer völkerumspannenden einheitlichen Gottesgemeinde gegenüber dem Weltstaat des Bösen. Im kirchlichen Kult wird diese Einheit vorausgenommen und besonders eindringlich um den Frieden gebetet für alle Menschen, wie es dort bis auf die heutige Zeit ständig in Übung geblieben ist. Gott ist der eine Vater aller; die Kirche die eine Mutter der Menschheit; Christus der Erstgeborene unter den Brüdern. Freilich ist in der empirischen Kirche immer wieder die Gefahr unchristlicher Abschließung gegenüber Andersgläubigen und Ungläubigen, ja zur Vereinseitigung, zur Nationalisierung und Verengung des Christentums aufgetreten und wirksam geworden. Aber trotz aller Entartungs- und Verweltlichungserscheinungen ist doch immer wieder der Gedanke der Universalität, der Einheit Gottes und der Menschheit und damit auch der Brüderlichkeit aller Menschen zum Durchbruch gekommen.

Im Christentum wurde von jeher der Gedanke einer

über die sichtbare empirische Kirche hinaus bestehenden unsichtbaren Kirchengemeinschaft vertreten. Nach dem Catechismus Romanus zählen alle zur «Seele der Kirche», die aufrichtig nach Wahrheit streben. Kardinal Nikolaus von Kues erstrebte bereits in seiner Schrift «Über den Frieden oder die Einheit des Glaubens» eine Zusammenfassung der Vertreter der verschiedensten Religionen mit dem Ziele der Übereinkunft im Glauben. In der Neuzeit haben mannigfache Religionskongresse mit Vertretern der verschiedenen Hoch- und Weltreligionen sich um die Herstellung besserer Beziehungen zwischen den Religionen bemüht, woraus schließlich die Idee des bekannten Marburger Religionswissenschaftlers Rudolf Otto zur Gründung eines religiösen Menschheitsbundes erwuchs, der nicht einen oberflächlichen Synkretismus, sondern ein tieferes gegenseitiges Kennnenlernen und Verstehen unter allen Gläubigen bezweckte. In diesen und anderen mehr oder minder geschickten Versuchen zur Verbesserung der interkonfessionellen und interreligiösen Beziehungen und zur Wiederherstellung einer gewissen Einheit unter den Vertretern der christlichen Denominationen und anderen Weltreligionen lebt der wertvolle Gedanke, daß die verschiedenen Bekenntnisse und Religionen sich nur auf ihre tiefsten Grundlagen besinnen und sie verwirklichen müssen, um zu einer brüderlichen Verbundenheit aller Menschen zu kommen und den Weltfrieden zu sichern.

Im Christentum, das ja nach dem Willen seines Stifters Gottes- und Nächstenliebe will, sind die positiven Ideen und Werte der übrigen Religionen und Weltanschauungen am tiefsten und universalsten gefaßt und erstrebt. Das Christentum verkündigt ja am nachdrücklichsten, daß Gottes- und Nächstenliebe unabdingbar miteinander verbunden sind, so daß wahre Gottesliebe am wirkungsvollsten am Maß der Bruderliebe offenbar wird. «Wer seinen Bruder nicht liebt, den er sieht, wie kann er Gott lieben, den er nicht sieht» (1 Jo 4,20). Das Christentum nennt geradezu Gott die Liebe, da er so sehr die Welt geliebt hat, daß er seinen eingeborenen Sohn für sie dahingab. So ist Gott der Vater aller, der alle in seinem menschgewordenen Sohn Jesus Christus, dem Erlöser und Heil aller Menschen, zu Brüdern gemacht hat. In dieser Beziehung kann das bekannte Wort des Ignatius von Antiochien über die Gemeinde Rom auf die ganze christliche Kirche übertragen werden: daß sie nämlich die Vorsitzende des Liebesbundes ist bzw. sein soll. Das Vorbild der Erlöserliebe Christi, der für alle Menschen litt und starb, um sie zu erlösen, und vom Kreuze herab noch seinen Feinden verzieh, gebietet, alle Anwandlungen von Haß und Feindschaft zu unterdrücken. Auch die anderen Religionen können in dieser christlichen Botschaft ihre Anforderungen und Ansprüche auf Menschheitsliebe und Brüderlichkeit aufs wirksamste garantiert sehen. So kann das Christentum im Bunde mit anderen Religionen durch tatkräftige Vertretung des Gedankens der Brüderlichkeit überzeugender als die hinter ihrer Friedenspropaganda Welteroberungspläne verbergenden Weltmächte festestes Bollwerk zur Sicherung des Weltfriedens sein und allen in dieser Beziehung engagierten politischen Organisationen die wirksamsten Licht- und Kraftquellen zur Verfügung stellen.

Freilich ist dabei auch für das Christentum Voraussetzung, daß es wahrhaft katholisch die Fülle aller religiösen Ideen unnd Werte bejaht, auch die in anderen Religionen und Konfessionen wie Weltanschauungen sich findenden, und nicht, wie so oft in der Vergangenheit, in unchristliche, nationale und kulturelle Enge zurücksinkt. Die weltweite Katholizität des Christentums wurde zuerst verengt in der byzantinischen Reichskirche und in ihren Abzweigungen in orthodoxen Nationalkirchen und namentlich im russischen Staatskirchentum. Gegen das östliche wie das westliche Reichskirchentum hat das katholische Christentum unter Leitung des Papstes den christlichen Universalismus verteidigt und trotz der Versuchungen und Gefahren der Verweltlichung und Verengung im Sinne des römischen Machtimperialismus die Ideen der übernationalen Christenheit und christlichen Bruderschaft hochgehalten. Auch in den letzten beiden Weltkriegen haben die Päpste immer wieder zur Menschlichkeit und Brüderlichkeit unter den Völkern und Nationen und zum Weltfrieden aufgerufen. Dieser katholische Universalismus, der freilich nur unvollkommen und zuweilen unter unkatholischer Abschließung gegenüber Andersgläubigen und Ungläubigen vertreten wurde, erfuhr eine besonders empfindliche Schwächung seit der abendländischen Spaltung des Christentums. In den folgenden jahrhundertelangen Wirren und Glaubenskämpfen der christlichen Konfessionen untereinander wurde doch auch der Gedanke des Reiches Gottes und der Menschheitsfamilie immer wieder von gewissen christlichen Gemeinschaften, Orden und selbst Sekten in Erinnerung gebracht. Insbesondere erwuchs aus den universalistischen Tendenzen gewisser protestantischer Gruppen der christliche Einheits- und Brüderlichkeitsgedanke aufs neue und kam wirkungsvoll zum Tragen in der sog. ökumenischen Bewegung. Als einer der ersten und zugleich als markantester Vertreter des protestantischen Ökumenismus richtete der schwedische lutherische Erzbischof Söderblom von Stockholm im Ersten Weltkrieg an die gesamte Christenheit den Appell zur Einheit; die Stockholmer Weltkirchenkonferenz für praktisches Christentum vertrat 1925 in Wort und Tat wirkungsvoll die Solidarität und die Verpflichtung der Christenheit zum Dienst an der ganzen Menschheit im Kampf gegen soziale Mißstände und durch energisches Eintreten für den Weltfrieden. In der Folgezeit ging die Arbeit dieser ökumenischen Bewegung planmäßig weiter. 1937 wandte sich die Weltkirchenkonferenz in Oxford gegen die rassischen und völkischen Bestrebungen kriegslüsterner, totalitärer Staaten und mühte sich, freilich vergebens, um die Erhaltung des Weltfriedens. Der nach Söderblom repräsentativste Vertreter dieser ökumenischen Bewegung Georg Bell, Bischof von Chichester und Vorsitzender des «Ökumenischen Rates der Kirche», wie sie sich jetzt nannte, erhob nach dem Zweiten Weltkrieg eindringlich seine Stimme für das schwer leidende deutsche Volk. Solche und andere Bestrebungen wurden fortgesetzt im «Weltrat der Kirchen» als einer «Gemeinschaft von Kirchen, die Christus als Gott und Erlöser annehmen», wo seitdem in verschiedenen Vollversammlungen unter Geschäftsführung eines Generalsekretärs eine weltweite Wirksamkeit im Sinne der christlichen Einheit und Brüderlichkeit entfaltet wird.

Auf dem II. Vatikanischen Konzil hat nun auch die katholische Kirche die wertvollen Ideen der ökumenischen Bewegung bejaht und selbst eine eigene «Deklaration über den Ökumenismus» erarbeitet, die den Dialog mit den getrennten christlichen Brüdern in Gang bringen will im Sinne eines besseren gegenseitigen Kennenlernens und Verstehens mit dem Fernziel einer Einheit unter den Christen. Es heißt in dieser konziliaren Erklärung: «Unter der ‹Ökumenischen Bewegung› versteht man Tätigkeiten und Unternehmungen, die je nach den verschiedenartigen Bedürfnissen der Kirche und nach Möglichkeit der Zeitverhältnisse zur Förderung der Einheit der Christen ins Leben gerufen und auf dieses Ziel ausgerichtet sind. Dazu gehört: Zunächst alles Bemühen zur Ausmerzung aller Worte, Urteile und Taten, die der Lage der getrennten Brüder nach Gerechtigkeit und Wahrheit nicht entsprechen und dadurch die gegenseitigen Beziehungen mit ihnen erschweren; ferner der ‹Dialog›, der bei Zusammenkünften mit Christen aus verschiedenen Kirchen oder Gemeinschaften, die vom Geist der Frömmigkeit bestimmt sind, von wohlunterrichteten Sachverständigen geführt wird, wobei ein jeder die Lehre seiner Gemeinschaft tiefer und genauer erklärt, so daß das Charakteristische daran deutlich hervortritt. Durch diesen Dialog erwerben alle eine bessere Kenntnis der Lehre und des Lebens jeder von beiden Gemeinschaften und eine gerechtere Würdigung derselben. Von hier aus gelangen diese Gemeinschaften auch zu einer stärkeren Zusammenarbeit in den Aufgaben des Gemeinwohls, die jedes christliche Gewissen fordert, und sie kommen, wo es erlaubt ist, zum gemeinsamen Gebet zusammen. Schließlich prüfen hierbei alle ihre Treue gegenüber dem Willen Christi hinsichtlich der Kirche und gehen tatkräftig ans Werk der notwendigen Erneuerung und Reform. Wenn dies alles von den Gläubigen der katholischen Kirche unter der Aufsicht ihrer Hirten mit Klugheit und Geduld vollzogen wird, trägt es zur Verwirklichung der Gerechtigkeit und Wahrheit, Eintracht und Zusammenarbeit, der brüderlichen Liebe und Einheit bei, so daß dadurch allmählich die Hindernisse, die sich der völligen kirchlichen Gemeinschaft entgegenstellen, überwunden ... werden.»

Über den Dialog mit den Nichtchristen heißt es in der Erklärung über das Verhältnis der Kirche zu den nichtchristlichen Religionen (im letzten Abschnitt über die universale Brüderlichkeit): «Wir können aber Gott, den Vater aller, nicht anrufen, wenn wir irgendwelchen Menschen, die ja nach dem Ebenbild Gottes geschaffen sind, die brüderliche Gesinnung und Tat verweigern. Das Verhalten des Menschen zu Gott dem Vater und sein Verhalten zu den Menschenbrüdern stehen so eng im Zusammenhang, daß die Schrift sagt: ‹Wer nicht liebt, kennt Gott nicht› (1 Jo 4, 8). So wird also jeder Theorie oder Praxis das Fundament entzogen, die zwischen Mensch und Mensch, zwischen Volk und Volk bezüglich der Menschenwürde und der daraus entstehenden Rechte einen Unterschied macht. Die Kirche verwirft also eine jede Diskriminierung eines Menschen, jeden Gewaltakt gegen ihn um seiner Rasse oder Farbe, seines Standes oder seiner Religion willen, weil das dem Geist Christi widerspricht. Und dementsprechend ruft die heilige Synode, den Spuren der hl. Apostel Petrus und Paulus folgend, die Gläubigen mit leidenschaftlichem Ernst dazu auf, daß sie ‹einen guten Wandel unter den Völkern führen› (1 Petr 2, 12) und womöglich, so viel an ihnen liegt, mit allen Menschen Frieden halten, so daß sie in Wahrheit Söhne des Vaters sind, der im Himmel ist.»

Die Verwirklichung dieses Geistes der Brüderlichkeit ist in der Gegenwart lebensnotwendig, um den Frieden zu sichern, gerade angesichts der ihren Eroberungswillen hinter raffinierter Friedenspropaganda verbergenden totalitären Mächte. Ihnen gegenüber haben die Hoch- und Weltreligionen freilich einen schwierigen Stand, um den Brüderlichkeits- und Friedensgedanken in Freiheit und Gerechtigkeit durchzusetzen. Immerhin sind sie angesichts der hier sich auftuenden Bedrohungen die einzigen Faktoren in der heutigen Welt, die, wenn überhaupt jemand, noch zu einer solchen Aufgabe legitimiert und fähig sind. Wie die menschliche Gesellschaft sich durch Polizeitgewalt vor Verbrechern schützt, so kann man heute auch daran denken, durch Gewalt die Machenschaften der Feinde der Menschheit und Brüderlichkeit unschädlich zu machen. Aber auch innerhalb der Kreise der Staaten und Völker, die heute solches unternehmen wollen, ist man sich bewußt, daß man ohne die Hilfe der Licht- und Kraftquellen der Religion allein nichts auszurichten vermag. So bleibt angesichts all dieser Dinge die Tatsache bestehen, daß die großen Weltreligionen, allen voran das Christentum, wieder zutiefst auf die in ihren geistigen Grundlagen angelegten Ideen und Werte der Brüderlichkeit sich besinnen und sie verwirklichen müssen, um der Menschheit den Frieden und die Weiterexistenz zu sichern.

Balthasar, H. U. von: Die Gottesfrage des heutigen Menschen, Wien 1956.
Bonhoeffer, D.: Die mündige Welt, Bd. I—IV, München 1956 bis 1963.
Böld, W., Gensichen, H. W., Ratzinger J., Waldenfels, H.: Kirche in der außerchristlichen Welt, Regensburg 1967.
Congar, Y.: Außer der Kirche kein Heil, Essen 1961.
Cuttat, J.-A.: Begegnung der Religionen, Einsiedeln 1956.
Fries, H.: Das Christentum und die Religionen der Welt, Heft 27 der Studien und Berichte der Katholischen Akademie in Bayern, Würzburg 1965.
— Wir und die andern, Stuttgart 1966.
— Handbuch theologischer Grundbegriffe 2. Bd., München 1963.
Frischeisen-Köhler, Weltanschauung, Berlin 1910.
Glasenapp, H. von: Die nichtchristlichen Religionen, Frankfurt 1958.
Goldammer, K.: Religionen, Religion und christliche Offenbarung, Stuttgart 1965.
Hardon, J. A.: Gott in den Religionen der Welt, Luzern-München 1967.
Hasenfuß, J.: Weltreligionen als sozial-kulturelle Gestaltungsmächte, Würzburg 1954.
— Glauben, aber warum?, Aschaffenburg 1962.
— Was ist Religion?, Aschaffenburg 1962.
— Gemeinschaftsmächte und Religion; Strukturelemente der Weltreligionen, 2 Bde. Religionssoziologie, Aschaffenburg 1964.
— Der Dialog mit den nichtchristlichen Religionen in der Dialog der Kirche, hrsg. von H. Pfeil, Aschaffenburg 1966.
— Kirche und Religionen, 2Paderborn 1970.
— Der angefochtene Christ gegenüber Heilsangeboten nichtchristlicher Religionen und Weltanschauungen in: Anzeiger für die kath. Geistlichkeit, 79. Jrg. Mai 1970 ff.
Heer, Fr.: Gottes erste Liebe, München-Eßlingen 1967
Heislbetz, J.: Theologische Gründe der nichtchristlichen Religionen, Freiburg 1967.
Kahl, J.: Das Elend des Christentums oder Plädyoer für eine

Humanität ohne Gott, Rowohlt Hamburg 1969, 56—75 Tausend.
Klostermaier, K.: Hinduismus, Köln 1965.
König, F.: Christus und die Religionen der Erde, 3 Bde., Wien 1961.
Mensching, G.: Die Religion, Stuttgart 1959.
— Die Religionen und die Welt, 2Bonn 1949.
Molinski: Die vielen Wege zum Heil, Heilsanspruch und Heilsbedeutung nichtchristlicher Religionen, München 1969.
Rahner, K.: Das Christentum und die nichtchristlichen Religionen, Schriften zur Theologie V, Einsiedeln-Zürich-Köln 1962.
Ratzinger, J.: Der christliche Glaube und die Weltreligionen, in: Gott in Welt. Festschrift für K. Rahner, Freiburg-Basel-Wien 1964.
Robinson, J. A. T.: Gott ist anders, München 1965.
Schlette, H R.: Die Religionen als Thema der Theologie, Freiburg-Basel-Wien 1963.
Schubert, K.: Die Religion des nachbiblischen Judentums, Wien 1955.
Stieglecker, H.: Die Glaubenslehren des Islam, München 1959 ff.
Tillich, P.: Das Christentum und die Begegnung der Weltreligionen, Stuttgart 1964.
Vicedom, G. F.: Die Mission der Wetreligionen, München 1959.
Waldenfels, H.: Religionen, Kirche begegnet der nichtchristlichen Welt, Kevelaer 1967.
Der christliche Glaube und die Religionen, hrsg. von C. H. Ratschow, Berlin 1967.
Christentum und Religion, hrsg. von H. Kahlefeld, U. Mann, B. Welte, C. Westermann, Regensburg 1966

INHALT